deutsch lesen 3

Richard Schmitt

Hilke Dreyer

Umwelt und Gesellschaft

Texte zum Lesen, Üben und Diskutieren

Verlag für Deutsch

| 3. | 2. | 1. | | Die letzten Ziffern |
| 1996 | 95 | 94 | 93 | 92 | bezeichnen Zahl und Jahr des Druckes. |

Alle Drucke dieser Auflage können, da unverändert,
nebeneinander benutzt werden.

1. Auflage
©1992 Verlag für Deutsch, Max-Hueber-Straße 8, D-8045 Ismaning
Satz: FotoSatz Pfeifer, Gräfelfing
Druck und Bindung: Schoder, Gersthofen
Printed in Germany
ISBN-3-88532-762-7

Inhalt

Mensch und Umwelt

Mensch und Gesellschaft

Vorwort

Die Texte in dem vorliegenden Buch sollen einige wichtige Fragen unserer Zeit möglichst anschaulich darstellen. Um die größtmögliche Verständlichkeit für die gedachte Lerngruppe zu gewährleisten, sind die meisten Texte leicht adaptiert worden. Alle angesprochenen Themen werden in der Öffentlichkeit viel diskutiert; die Texte enthalten das jeweilige Fachvokabular, das erklärt wird, und das sprachliche Umfeld seiner Verwendung, für das entsprechende Übungen erarbeitet worden sind.

Es schien den Herausgebern wichtig, Ausländern, die schon ein recht weitreichendes Verständnis der deutschen Sprache erworben haben, Zusammenhänge zugänglich zu machen, mit denen sie im Gespräch mit Deutschen konfrontiert werden oder denen sie vielleicht in Fernseh- oder Zeitungsberichten folgen wollen. Da dazu auch die Einübung und Wiederholung grammatischer Strukturen nötig ist, finden sich viele solche Übungen in diesem Buch.

Texte, Übungen und die Anregungen zur Erörterung eines Themas eignen sich besonders für den Unterricht in Kursen und Gruppen, denn jedes Thema reizt zu kontroversen, das Problem umkreisenden Diskussionen.

Dem Alleinlernenden kommt das Heft besonders durch die umfangreichen Worterklärungen nach jedem Text entgegen und durch die Lösungsangaben am Ende des Buches, die eine ständige Kontrolle der erarbeiteten Übungen ermöglichen.

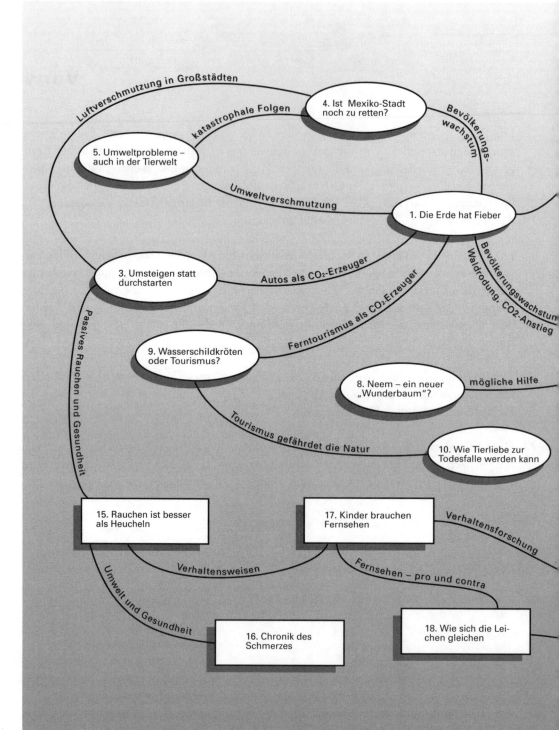

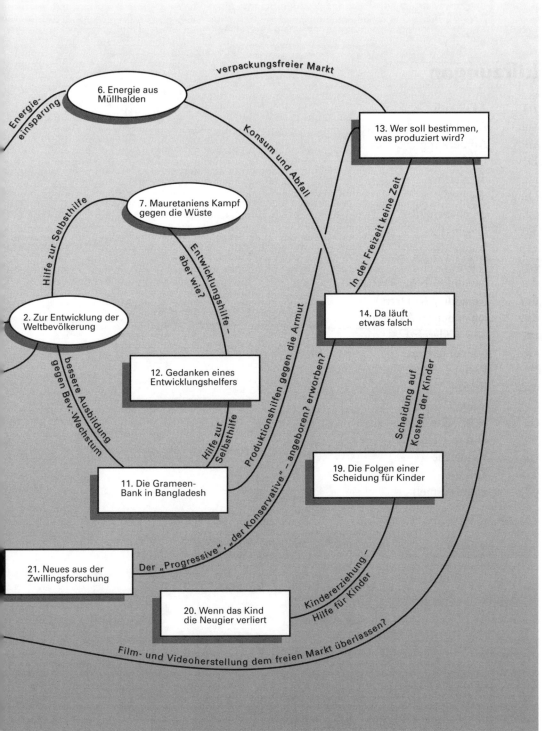

verpackungsfreier Markt

6. Energie aus Müllhalden

Energie-einsparung

Konsum und Abfall

13. Wer soll bestimmen, was produziert wird?

Hilfe zur Selbsthilfe

7. Mauretaniens Kampf gegen die Wüste

Entwicklungshilfe – aber wie?

In der Freizeit keine Zeit

2. Zur Entwicklung der Weltbevölkerung

Produktionshilfen gegen die Armut

14. Da läuft etwas falsch

bessere Ausbildung gegen Bev.-Wachstum

12. Gedanken eines Entwicklungshelfers

Scheidung auf Kosten der Kinder

Hilfe zur Selbsthilfe

Der „Progressive", „der Konservative" – angeboren? erworben?

19. Die Folgen einer Scheidung für Kinder

11. Die Grameen-Bank in Bangladesh

21. Neues aus der Zwillingsforschung

Kindererziehung – Hilfe für Kinder

20. Wenn das Kind die Neugier verliert

Film- und Videoherstellung dem freien Markt überlassen?

Abkürzungen

(A)	Akkusativ
Abb.	Abbildung
Anm.	Anmerkung
(D)	Dativ
dgl.	dergleichen
d.h.	das heißt
ggf.	gegebenenfalls
Ggs.	Gegensatz
Impf.	Imperfekt
Inf.	Infinitiv
jd.	jemand (= Nominativ)
jdm.	jemandem (= Dativ)
jdn.	jemanden (= Akkusativ)
o.a.	oder andere(n)
o.ä.	oder ähnliches
Pl.	Plural
Präs.	Präsens
s.	siehe
s.S.	siehe Seite
usw.	und so weiter
vgl.	vergleiche
Z.	Zeile
z.B.	zum Beispiel

Die Erde hat Fieber

Der Treibhauseffekt könnte zur schlimmsten Bedrohung der Menschheit werden.

In den Vereinigten Staaten erzählt man sich folgenden finsteren Witz: Ein Texaner möchte von seiner Bank eine Hypothek auf seinen Acker haben. Der Vertreter der Bank aber will sich das Land vorher ansehen. Der Farmer tritt ans Fenster und zeigt auf den sich plötzlich verdunkelnden Himmel: „Da kommt es gerade!" – Tatsächlich leidet Amerika derzeit unter einer verheerenden Trockenheit, und schnelle, harte Windstöße über einem ausgetrockneten Feld reißen den zu Staub verdorrten Akkerboden mit sich, so daß der Himmel sich verfinstert.

Das amerikanische Fernsehen zeigt trostlose Bilder: etwa von einem texanischen Bauern, der hilflos vor einer sterbenden, zum Skelett abgemagerten Kuh steht; von einem anderen, der mit einem Gasbrenner die einzig noch wachsenden Pflanzen seines Feldes – Kakteen – von ihren Stacheln befreit, um mit dieser letzten Reserve den Hungertod seiner Rinder hinauszuschieben; oder von dem dritten, der die kümmerlichen Maishalme – sie sind nur fußhoch – zurückpflügt in den ausgedorrten Boden; brennende Wälder in Kalifornien; Schiffe, bewegungsunfähig im Flußbett des Mississippi liegend, der zu einem Flüßchen geschrumpft ist.

Klimatologen machen eine von der pazifischen Küste kommende warme Luftströmung dafür verantwortlich. Diese Strömung ist zwar schon seit langem bekannt, doch fließt sie in diesem Jahr erheblich weiter nördlich als sonst. Dies führen die Wissenschaftler auf den Treibhauseffekt zurück: Kohlendioxid (CO_2), das bei der Verbrennung fossiler Brennstoffe wie Öl, Kohle und Benzin entsteht, sammelt sich rasch in der Atmosphäre an. Neben CO_2 sind auch noch andere Gase für den Treibhauseffekt verantwortlich, wie zum Beispiel das Treibgas aus Fluor-Chlor-Kohlenwasserstoff (FCKW) und Methan. In der Erdatmosphäre wirken diese Gase wie die Scheiben eines Treibhauses: Sie lassen das Sonnenlicht einfallen, verhindern aber gleichzeitig ein Entweichen der von der Erdoberfläche zurückgestrahlten Wärme. Die Folge ist eine stetige Erwärmung der Erde.

Tatsächlich waren die achtziger Jahre das wärmste Jahrzehnt seit mehr als hundert Jahren. Ein Anstieg der Temperaturen auf der Erde um mindestens ein oder zwei Grad Celsius bis zur Mitte des nächsten Jahrhunderts scheint unausweichlich. Allgemein läßt sich festsellen: Je stärker sich die Wirtschaft in den einzelnen Ländern der Welt entwickelt, desto mehr CO_2 wird in die Atmosphäre abgegeben. Wissenschaftler halten eine Verdoppelung des CO_2-Gehalts in naher Zukunft sogar für

65 wahrscheinlicher als ein gebremstes Ansteigen.

Der Treibhauseffekt wird weltweit so bedeutende Größen wie Niederschlag, Wind, Bewölkung, Meeresströme und die 70 Flächen der polaren Eiskappen verändern. Obwohl bei weitem noch nicht geklärt ist, welche Folgen dies für die einzelnen Länder mit sich bringen wird, sind sich die Wissenschaftler über die groben Züge der 75 Entwicklung einig: Das Binnenland der Kontinente wird trockener, die Küstenregionen werden feuchter. Die kältere Jahreszeit wird kürzer, die wärmere länger. Die zunehmende Verdunstung über der Erde wird in weiten Teilen der Welt zu 80 noch trockeneren Böden führen.

Was ist zu tun? Wir können Kohlendioxid nicht in der Weise aus den vielen Abgasen herausfiltern wie andere Schadstoffe. Alle denkbaren Gegenmaßnahmen zielen 85 zunächst darauf ab, die CO_2-Produktion zu verringern, um so den Treibhauseffekt zu mildern.

Nach: *Die Erde hat Fieber*, DIE ZEIT

das Treibhaus, ⁼er Glashaus, z.B. in Gärtnereien, in dem Pflanzen durch die stärkere Wirkung der Sonnenwärme schneller wachsen

die Bedrohung, -en Gefährdung

finster dunkel, unheimlich

die Hypothek, -en *hier:* durch Landbesitz gesicherter Kredit

verheerend schrecklich, schlimm

verdorrt ausgetrocknet, ohne Wasser

trostlos sehr traurig, hoffnungslos

das Skelett, -e Knochengerüst

abgemagert ganz dürr, fast ohne Fleisch

der Stachel, -n stechende Spitze bei Tieren und Pflanzen

kümmerlich armselig, *hier:* viel zu klein

zurückpflügen die Erde mit dem Pflug aufbrechen, so daß die Halme wieder unter die Erde kommen

der Klimatologe, -n Fachmann für langfristige Klima- und Temperaturentwicklung (die Klimatologin)

erheblich sehr, sehr viel

fossil urzeitlich, vor Millionen Jahren entstanden

entweichen *hier:* ausströmen, abgegeben werden

das Treibgas, -e meist sehr umweltschädliches Gas, das in Spraydosen verwendet wird bzw. wurde

unausweichlich unvermeidlich, nicht mehr veränderbar

der Niederschlag, ⁼e Regen, Schnee usw.

polar am Nord- oder Südpol gelegen

die Eiskappe, -n Eisdecke

die groben Züge die wichtigsten Merkmale, ohne die Einzelheiten

die Verdunstung der Übergang von Wasser in Wasserdampf

mildern verringern, abschwächen

verstehen

Nur ein Teil der folgenden Aussagen zum Text ist richtig. Kreuzen Sie bitte alle richtigen Aussagen an.   **?**

1. Ein Vertreter der Bank will erst den Acker sehen, bevor er dem Texaner einen Kredit gibt. ❑

2. Der Himmel verdunkelte sich, weil ein Gewitter nahte. ❑

3. Mit „Da kommt es gerade!" meint der Farmer ein Gewitter. ❑

4. Das amerikanische Fernsehen zeigt einen Farmer, der die Stacheln von den Kakteen entfernt, um die Kakteen an seine Rinder verfüttern zu können. ❑

5. Man kann dem Text entnehmen, daß der Mais normalerweise um diese Jahreszeit höher als 30 cm (= fußhoch) wird. ❑

6. Der Treibhauseffekt geht unter anderem auf die Verbrennung von Benzin, Öl und Kohle zurück. ❑

7. Es gibt noch andere Gase, die den Treibhauseffekt auf der Erde bewirken. ❑

8. Der Treibhauseffekt beruht darauf, daß das Sonnenlicht ungehindert von der Erdoberfläche in das Weltall zurückstrahlen kann. ❑

9. In den achtziger Jahren war es wärmer als in der Zeit davor. ❑

10. Bis zum Ende des Jahrhunderts – so glaubt man – wird die Temperatur auf der Erde um ein bis zwei Grad ansteigen. ❑

11. Je stärker sich die Wirtschaft in der Welt entwickelt, desto schneller steigt der CO_2-Gehalt der Atmosphäre. ❑

12. Wissenschaftler behaupten, der CO_2-Gehalt in der Atmosphäre werde sich in Zukunft nur minimal erhöhen. ❑

13. Obwohl man die Folgen des Treibhauseffektes in etwa kennt, kann man noch nicht genau sagen, welche Auswirkungen er auf die einzelnen Länder haben wird. ❑

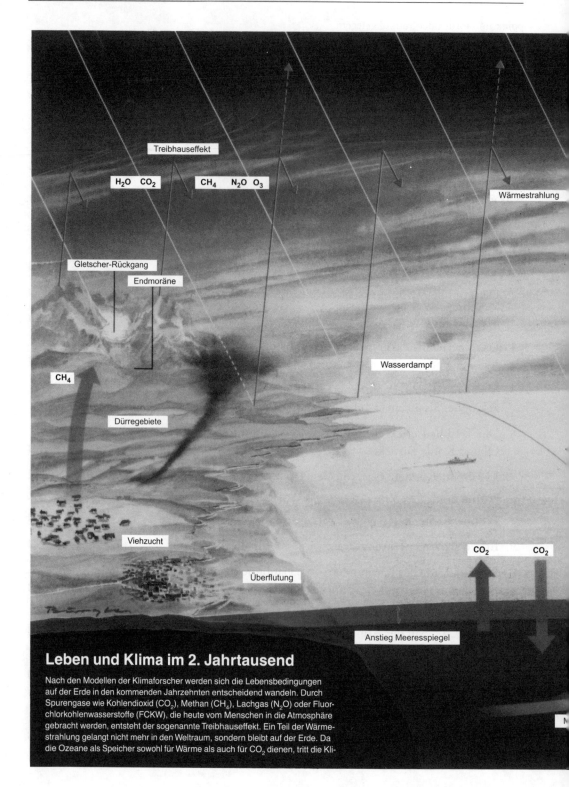

Treibhauseffekt

H_2O CO_2 CH_4 N_2O O_3

Wärmestrahlung

Gletscher-Rückgang

Endmoräne

CH_4

Wasserdampf

Dürregebiete

Viehzucht

Überflutung

CO_2 CO_2

Anstieg Meeresspiegel

Leben und Klima im 2. Jahrtausend

Nach den Modellen der Klimaforscher werden sich die Lebensbedingungen auf der Erde in den kommenden Jahrzehnten entscheidend wandeln. Durch Spurengase wie Kohlendioxid (CO_2), Methan (CH_4), Lachgas (N_2O) oder Fluorchlorkohlenwasserstoffe (FCKW), die heute vom Menschen in die Atmosphäre gebracht werden, entsteht der sogenannte Treibhauseffekt. Ein Teil der Wärmestrahlung gelangt nicht mehr in den Weltraum, sondern bleibt auf der Erde. Da die Ozeane als Speicher sowohl für Wärme als auch für CO_2 dienen, tritt die Kli-

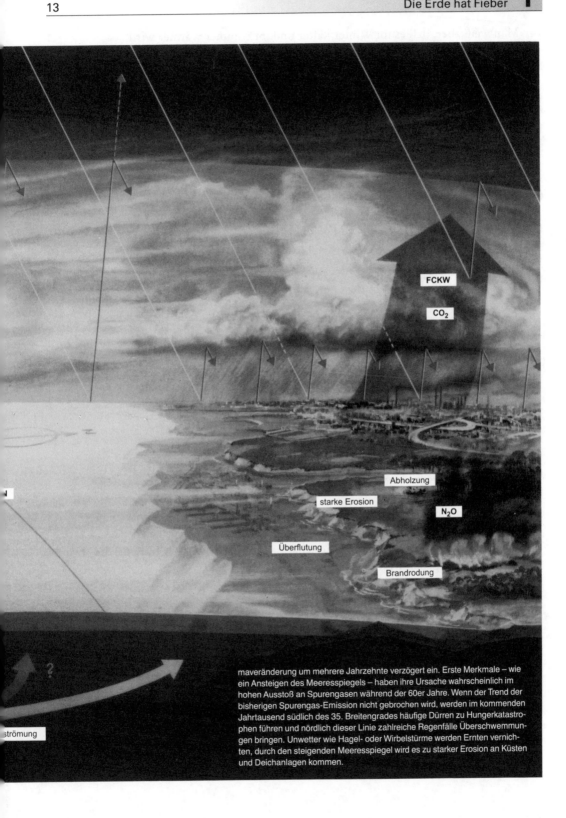

FCKW

CO_2

Abholzung

starke Erosion

N_2O

Überflutung

Brandrodung

strömung

maveränderung um mehrere Jahrzehnte verzögert ein. Erste Merkmale – wie ein Ansteigen des Meeresspiegels – haben ihre Ursache wahrscheinlich im hohen Ausstoß an Spurengasen während der 60er Jahre. Wenn der Trend der bisherigen Spurengas-Emission nicht gebrochen wird, werden im kommenden Jahrtausend südlich des 35. Breitengrades häufige Dürren zu Hungerkatastrophen führen und nördlich dieser Linie zahlreiche Regenfälle Überschwemmungen bringen. Unwetter wie Hagel- oder Wirbelstürme werden Ernten vernichten, durch den steigenden Meeresspiegel wird es zu starker Erosion an Küsten und Deichanlagen kommen.

14. Man weiß aber, daß es im Winter kälter und im Sommer wärmer wird. ❑

15. In großen Gebieten der Erde werden die Böden jedenfalls noch stärker austrocknen. ❑

16. Der Ausstoß von Kohlendioxid soll gesenkt werden. ❑

17. Dadurch können wir den Treibhauseffekt verhindern. ❑

üben

 I *Sprechen Sie über Ursachen und Folgen.*

X führt dazu, daß Y
X hat zur Folge, daß Y

> harte Windstöße – Himmel / sich verfinstern
>
> Harte Windstöße führen dazu, daß sich der Himmel verfinstert.
> Harte Windstöße haben zur Folge, daß sich der Himmel verfinstert.

1. die anhaltende Trockenheit –
   a) Rinder / verhungern
   b) Schiffe auf dem Mississippi / nicht mehr fahren können
   c) ... / ...
2. die Verbrennung fossiler Brennstoffe – Kohlendioxid / in die Luft entweichen
3. zuviel CO_2 in der Luft – Erdatmosphäre / sich zunehmend erwärmen
4. eine sich stark entwickelnde Wirtschaft – immer mehr CO_2 / in die Erdatmosphäre abgegeben werden
5. der Treibhauseffekt –
   a) Meeresströme / ihre Richtung ändern
   b) die polaren Eiskappen / schmelzen
   c) Küstenregionen / ...
   d) ... / ...

II *Geben Sie zu den Folgen die richtigen Ursachen an.*

Daß Y, liegt an X
Daß Y, ist die Folge von X

---

harte Windstöße – Himmel / sich verfinstern

Daß sich der Himmel verfinstert, liegt an den harten Windstößen.
Daß sich der Himmel verfinstert, ist die Folge harter Windstöße.

Nehmen Sie die Beispiele der vorherigen Übung.

III *Erläutern Sie die Zusammenhänge.*

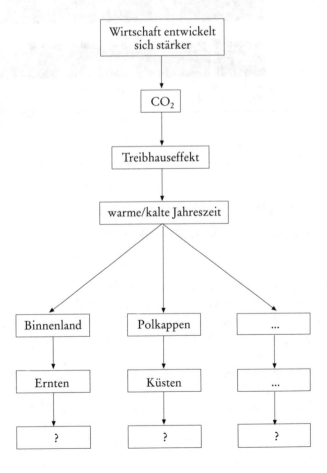

Sie können folgende Formulierungen verwenden:

Wenn ..., dann ...

Das führt dazu, daß ...

Das wiederum ist verantwortlich dafür, daß ...

Das bedeutet, daß einerseits ..., andererseits ...

Das eine hat zur Folge, daß ..., das andere führt dazu, daß ...

Dieses liegt an ..., jenes ist die Folge von ...

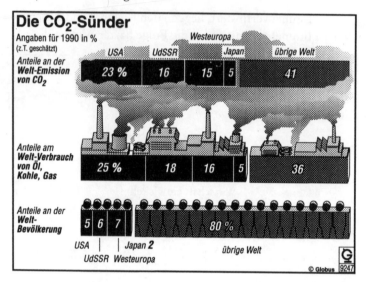

IV *Formen Sie die Sätze 1 bis 6 nach folgendem Beispiel um*:

Er zeigte auf den sich plötzlich verdunkelnden Himmel.

Er zeigte auf den Himmel, der sich plötzlich verdunkelte.

1. Windstöße reißen den *zu Staub verdorrten* Ackerboden mit sich.
2. Ein Bauer stand vor einer *zum Skelett abgemagerten* Kuh.
3. Ein anderer befreite die einzigen *noch wachsenden* Pflanzen von ihren Stacheln.
4. Auch die *bewegungsunfähig im Flußbett des Mississippi liegenden* Schiffe warteten auf das Ende der Trockenheit.
5. Klimatologen machen eine *von der pazifischen Küste kommende* Luftströmung für die Trockenheit verantwortlich.
6. Die Gase verhindern ein Entweichen der *von der Erdoberfläche zurückgestrahlten* Wärme.

V   *Mit den Sätzen 7 bis 11 verfahren Sie jetzt umgekehrt. (Ein * zeigt Ihnen an, wo der Satzteil einzusetzen ist.)*

Der Farmer verfüttert *Kakteen, *die als letzte Reserve dienen,* an seine Rinder.

Der Farmer verfüttert die als letzte Reserve dienenden Kakteen an seine Rinder.

---

7. Eine *Wirtschaft, *die sich stärker entwickelt,* wird auch mehr CO_2 in die Atmosphäre abgeben.
8. Über die *Folgen, *die sich für die einzelnen Länder ergeben,* ist man sich noch nicht im klaren.
9. Über die allgemeine *Entwicklung, *die für die ganze Erde bedrohlich erscheint,* sind sich die Wissenschaftler einig.
10. Die *stärkere Verdunstung, *die durch die zunehmende Wärme verursacht wird,* führt zu noch trockeneren Böden.
11. *Gegenmaßnahmen, *die den Treibhauseffekt mildern,* sollen das Ansteigen des CO_2-Gehaltes in der Atmosphäre wenigstens verlangsamen.

diskutieren

Seit Urzeiten hat Generation für Generation gegen die Natur angekämpft. Jetzt müssen wir uns plötzlich in der kurzen Zeitspanne eines einzigen Menschensalters mit einer Wendung um 180 Grad in Natürschützer verwandeln.
Jacques-Yves Cousteau

1. Wie müßte sich – Ihrer Ansicht nach – jeder einzelne verhalten, wenn er der Forderung von Jacques-Yves Cousteau nachkommen wollte?
   Machen Sie Vorschläge. Diskutieren Sie die Vorschläge.
2. Ist die Forderung von Jacques-Yves Cousteau realisierbar?
   Was halten Sie von folgenden Aussagen?
   a) Gewiß möchte ich mich gern umweltbewußt verhalten, aber was kann ich allein ausrichten, wenn rund um mich her millionenfach verschwendet wird?
   b) Den Co_2-Ausstoß zu reduzieren ist eine Sache der Industrie; nur technische Verbesserungen können wirksam sein.
   c) Wer Umweltschäden verursacht, muß auch dafür bezahlen; d.h. die Käufer einer Plastik-Milchtüte genauso wie die Großkonzerne, die solche Verpackungen herstellen.
   d) Wir müssen diese ganze verheerende Entwicklung jetzt sofort stoppen.
3. Nach einem wunderbaren Abendessen saßen wir noch lange in dem gemütlichen, hellerleuchteten Wohnzimmer des Gastgebers und sprachen – wie schon oft – über

die Umweltzerstörung. Da sagte einer, der bisher geschwiegen hatte: „Ich leugne die Gefahren nicht, trotzdem wünsche ich, daß die industrielle Entwicklung in den Ländern der Dritten Welt zunimmt. Warum sollen wir allein die Erleichterung des Lebens genießen?"

Diskutieren Sie – im Zusammenhang des Textes – diese Ansicht.

Zur Entwicklung der Weltbevölkerung

Von dem (unbekannten) Erfinder des Schachspiels wird die Anekdote erzählt, er habe das Spiel einem Maharadscha zum Kauf angeboten, und dieser habe ihn nach 5 dem Preis gefragt. „Ein Weizenkorn für das erste Feld", erwiderte der Erfinder, „zwei Körner für das zweite, vier für das dritte, acht für das vierte und immer so weiter, für jedes 10 der 64 Felder die jeweils doppelte Zahl." Der Maharadscha, hocherfreut, scheinbar so billig davonzukommen, ging auf den Handel ein. Hätte er etwas von 15 Mathematik verstanden, so hätte er das wohl bleibenlassen. Denn in ganz Indien gab es nicht so viel Weizen, daß man den Erfinder hätte ausbezahlen können.

20 Schon für das zwanzigste Feld mußte der Maharadscha über eine halbe Million Weizenkörner zahlen. Für Feld 31 waren mehr als eine Milliarde Körner fällig, und die auf Feld 64 erreichte Zahl läßt sich mit Laien25 begriffen gar nicht mehr ausdrücken.

Vor solche Überraschungen stellt uns der simple Verdoppelungseffekt. Die Menschheit verdoppelt sich gegenwärtig in jeweils vierzig Jahren. Im Jahr 2000 wird es rund sechs Milliarden Menschen geben. Bleibt es 30 bei dieser Zuwachsrate, so würden um das

„Wir können machen, was wir wollen, Maria – wir sind so oder so verloren!"

Jahr 2160 schon 100 Milliarden Menschen leben, das heißt, eine einzige Stadt würde 35 alles nur irgend bewohnbare Land überziehen.

Man wird schwindlig, wenn man weiterrechnet. Glücklicherweise ist die Bevölkerungsvermehrung jedoch nicht nur ein Rechenexempel. An irgendeinem Punkt vorher wird die Menschenlawine zum Stehen kommen, hoffentlich durch Vernunft und nicht durch eine Katastrophe. Wie die Menschheit mit den bis dahin auf sie einstürmenden ungeheuren Aufgaben fertig wird – das ist das größte Problem der vor uns liegenden Jahrzehnte. Über die Mittel und die Möglichkeiten zu seiner Lösung führen Politiker, Wirtschaftler, Bevölkerungswissenschaftler und Theologen Debatten von zunehmender Heftigkeit.

Unbestritten ist dabei, daß wir im Jahr 2000 mit etwa 6 Milliarden Menschen rechnen müssen und daß die Bevölkerungsexplosion dann noch nicht beendet sein wird. Die Vereinten Nationen schätzen, die Zahl der Menschen auf der Erde werde sich irgendwo zwischen 10 Milliarden und 25 Milliarden „einpendeln".

Von einer Explosion der Weltbevölkerung zu sprechen ist nicht übertrieben. Jahrhunderttausendelang scheint es auf der Erde weniger als eine Million Menschen gegeben zu haben. Bis ihre Zahl eine Milliarde erreichte, mußten etwa 600 000 Jahre vergehen: von der Entstehung unserer Art bis zum Jahr 1830. Nur 100 Jahre dauerte es, bis die zweite Milliarde voll war, nämlich von 1830 bis 1930. Aus dem schrecklichen Blutbad des Zweiten Weltkriegs ging die Menschheit um 170 Millionen vermehrt hervor. Bis zur dritten Milliarde verstrichen bloß 31 Jahre, von 1930 bis 1961.

Bis zum Jahr 2000 wird die Zahl der Menschen dann aber noch einmal um die drei Milliarden anwachsen, auf die sie es vom Urbeginn bis zum Jahr 1961 gebracht hatte.

Fassungslos blicken die Ärzte auf das, was sie da angerichtet haben: Die medizinische Kunst hat das uralte ungefähre Gleichgewicht zwischen Geburten und Todesfällen aufgehoben. Der erfolgreiche Kampf gegen Seuchen und Säuglingssterblichkeit hat die durchschnittliche Dauer eines Menschenlebens verdoppelt – in Europa und Nordamerika schon vor dem Ersten Weltkrieg, in Asien, Afrika und Südamerika schlagartig seit dem Zweiten Weltkrieg.

Nach: Wolf Schneider, *Überall ist Babylon*, 1960.

die Anekdote, -n kurze, oft witzige, aber charakteristische Geschichte, meist über eine bekannte Persönlichkeit

der Maharadscha, -s indischer Herrscher

fällig zu einem bestimmten Zeitpunkt zu zahlen oder zu liefern

der Laie, -n der Nicht-Fachmann

die Zuwachsrate, -n die Zahl, um die etwas innerhalb bestimmter Zeitabstände wächst

die Lawine, -n herabstürzende, dabei immer größer werdende Masse Schnee

schwindlig im Gleichgewicht gestört

einstürmen auf jdn. *hier:* hereinbrechen

ungeheuer *hier:* sehr groß

die **Debatte, -n** lebhafte Diskussion

die **Heftigkeit** Stärke, Kraft

unbestritten ohne Zweifel

sich einpendeln *hier:* langsam zu einer festen Zahl kommen

die **Säuglingssterblichkeit** Prozentsatz der Kinder, die im ersten Lebensjahr sterben

verstreichen (Zeit) vergehen

fassungslos sehr erschrocken, verständnislos

anrichten *hier:* etwas Schlimmes (ohne Absicht) verursachen

die **Seuche, -n** gefährliche, ansteckende Krankheit

unsere Art *hier:* alle Menschen (im Ggs. zu den Tieren)

schlagartig überraschend schnell

verstehen

?

Nur eine der folgenden Antwortvorgaben ist richtig. Kreuzen Sie bitte an.

1. Welchen Preis hat der Erfinder des Schachspiels vom Maharadscha gefordert?
   a) Ein Weizenkorn für jedes Feld des Schachbretts. ❏
   b) Soviel Weizen, wie in Indien in einem Jahr produziert wurde. ❏
   c) Für jedes Feld die jeweils doppelte Menge Weizenkörner. ❏

2. Hatte der Maharadscha Grund, sich über diesen Preis zu freuen?
   a) Nein, denn eigentlich hatte man ihn reingelegt. ❏
   b) Ja, denn er bekam das Spiel sehr billig. ❏
   c) Er bezahlte den üblichen Preis für ein Spiel zu dieser Zeit. ❏

3. Warum bringt der Autor dieses Beispiel?
   a) Schach ist sein Lieblingsspiel. ❏
   b) Er will uns vor Augen führen, wie sich wiederholte Verdoppelung auswirkt. ❏
   c) Es gibt heute soviel Menschen auf der Erde, wie es damals Weizenkörner in Indien gab. ❏

4. Welche Zahlen für die Weltbevölkerung hat man 1961 für die Jahre 2000 und 2160 vorausgesagt?
   a) Drei Milliarden mehr als 1961 und hundert Milliarden. ❏
   b) Drei Milliarden, und im Jahre 2160 gibt es nur noch eine einzige Stadt. ❏
   c) Im Jahre 2000 gibt es doppelt so viele Menschen wie 1961, und 2160 wird es noch mal doppelt so viele geben. ❏

Suchen Sie für die Fragen 5 bis 8 nun selbständig Antworten, und diskutieren Sie diese in Ihrer Klasse.

5. Was meint der Autor, wenn er sagt, die Bevölkerungsvermehrung sei nicht nur ein Rechenexempel?
6. Ab wann kann man von einer Bevölkerungsexplosion sprechen?
7. Wieso haben die Ärzte etwas angerichtet? (Man gebraucht dieses Wort im negativen Sinn.) Haben sie etwas Schlechtes oder Schlimmes getan?
8. Entwerfen Sie eine Grafik zum Thema „Entwicklung der Weltbevölkerung" für eine Tageszeitung o.ä.

üben

I *Antworten Sie bitte nach folgendem Muster:*

---

jemandem etwas zum Kauf anbieten

> A: Brauchst du deine Garage nicht selber?
> (nein / ich / meine Nachbarin / die Garage)

> B: Nein, ich habe meiner Nachbarin die Garage zum Kauf angeboten.

---

1. jemandem etwas zum Kauf anbieten (Z. 3)
   A: Wollen deine Schwiegereltern ein Grundstück kaufen?
   (ja / die Firma H&H / meine Schwiegereltern / ein Grundstück / sehr günstig)

2. jemand geht auf etwas ein (Z. 14)
   A: Hast du das Auto verkauft?
   (ja / ich / der Vorschlag meines Freundes)

3. jemand versteht etwas von einer Sache (Z. 14)
   A: Glaubst du, Onkel Willi kann mir bei einer Physik-Aufgabe helfen?
   (ja/ Onkel Willi / Physik)

4. es bleibt bei einer Sache (Z. 30)
   A: Du willst das Fahrrad wirklich für 100 DM verkaufen?
   (ja / mein Angebot)

5. jemand bleibt bei etwas (mit persönlichem Subjekt)
   A: Hat der Angeklagte endlich seine Tat zugegeben?
   (nein / er / seine Aussage)

6. etwas kommt zum Stehen (Z. 42)
   A: Ist der Lastwagen in die umgestürzten Bäume hineingefahren?
   (nein / er / schon vorher)

7. jemand wird mit etwas fertig (Z. 46)
   A: Findet man in München leicht einen Parkplatz?
   (nein / die Stadt / die Verkehrsprobleme / nicht)

8. jemand muß mit etwas rechnen (Z. 54)
   A: Hat der Polizist meine Autonummer aufgeschrieben?
   (ja / du / eine Ordnungsstrafe wegen falschen Parkens)

9. jemand rechnet mit etwas
   A: Ahnten die Bauern, was auf sie zukommt?
   (ja / alle / eine schlechte Ernte)

10. jemand hat es auf etwas gebracht (Z. 77)
    A: Wie alt ist dein Onkel geworden?
    (er / ein Alter von 90 Jahren)

11. jemand hat es zu etwas gebracht
    A: Was ist eigentlich aus Hans-Günter geworden?
    (er / Chefarzt eines Sanatoriums in der Schweiz)

II   *Versuchen Sie nun, mit Hilfe dieser Satzbautafel eigene Sätze zu bilden.*

Wer? Was?		Wem? Wovon?...	Wen? Was?	
Die Firma	bietet	uns	das Haus	zum Kauf an.
Frau Müller		ihren Kunden		Gebrauch an.
				zur Verwendung an.
Mein Vater	geht auf		den Handel	ein.
			Vorschlag	ein.
			das Risiko	ein.
Onkel Willi	versteht etwas	von Fremdsprachen.		
		Astronomie.		
		vom Kochen.		
		Tennisspielen.		
Es	bleibt bei	unserer Verabredung.		
		dieser Zuwachsrate.		
		meinem Angebot.		
		diesem Urteil.		
Karl	bleibt bei	seinem Vorhaben.		
		seiner Aussage.		
Die Preisspirale	kommt			zum Stehen.
Straßenbahn				
Menschenlawine				
Das Taxi				
Der Lehrer	wird mit	der Klasse		(nicht) fertig.
Die Sekretärin		ihrer Arbeit		
Klaus		seinen Hausaufgaben		
Der Schüler	muß mit	einer Ermahnung		rechnen.
Radfahrer		Ordnungsstrafe		
Das Ministerium		den Protesten der Leute		
Der Schüler	rechnet mit	einem schlechten Zeugnis.		
Radfahrer		einer Ordnungsstrafe.		
Er	hat es auf		drei Häuser	gebracht.
			sieben Kinder	
Sie	hat es zur	Geschäftsführerin		gebracht.

III Eine Vermutung wird häufig durch das Futur ausgedrückt und durch die Verwendung von *wohl* verstärkt.

An irgendeinem Punkt vorher kommt die Menschenlawine zum Stehen.
An irgendeinem Punkt vorher wird die Menschenlawine zum Stehen kommen.
An irgendeinem Punkt vorher wird die Menschenlawine wohl zum Stehen kommen.

Drücken Sie in den folgenden Sätzen die Vermutung durch Bildung des Futurs aus.

1. Wir müssen im Jahr 2000 mit mehr als sechs Milliarden Menschen auf der Erde rechnen.
2. Die Zahl der Menschen auf der Erde pendelt sich irgendwo zwischen 10 und 25 Milliarden ein.
3. Bis zum Jahr 2000 wächst die Zahl der Erdbewohner noch einmal um die drei Milliarden an.
4. Im Jahr 2009 – so sagen die Statistiker – ist jeder vierte in unserem Land über 65 Jahre alt.
5. Die Zahl der Asylanten nimmt in verschiedenen europäischen Ländern weiter zu.
6. Man muß viele Sozialwohnungen schaffen, um all die Menschen unterbringen zu können.
7. Der starke Bevölkerungszuwachs auf der Erde stellt die Menschheit vor fast unlösbare Probleme.
8. Der Erfinder und Verkäufer des Schachspiels war ein guter Mathematiker. (Fut. II)
9. Der Maharadscha hat sich vorher den Kaufpreis nicht ausgerechnet. (Fut. II)
10. Jahrhunderttausendelang hat es auf der Erde weniger als eine Million Menschen gegeben. (Fut. II)

IV Eine Vermutung kann man auch durch das Wort *scheinen* ausdrücken (modaler Gebrauch); es verlangt dann den Infinitiv mit *zu*.

Jahrhunderttausendelang scheint es auf der Erde weniger als eine Million Menschen gegeben zu haben.

Üben Sie wie in folgendem Beispiel:

> A: Hat der Maharadscha gewußt, wie teuer das Schachspiel sein würde?
>
> B: Er scheint es (nicht) gewußt zu haben.

1. Hat der Verkäufer des Spiels etwas von Mathematik verstanden?
2. Hat der Maharadscha das Spiel bezahlt?
3. Können sich die Politiker, Wirtschaftler, Wissenschaftler und Theologen über das Bevölkerungsproblem einigen?
4. Haben die Mediziner die Folgen ihrer Kunst nicht bedacht?
5. Wird das Asylantenproblem in einigen Staaten immer größer?
6. Reichen die Wohnungen für all die Neuankömmlinge aus?
7. Können die Asylanten die deutsche Sprache so leicht erlernen?
8. Fühlen sich alle Asylanten in den fremden Ländern wohl?
9. Können sie nicht in ihre Heimatländer zurückkehren?
10. Können die Ärzte alle Seuchen erfolgreich bekämpfen?

diskutieren

1. Auf die im Text genannten Zahlen kann man mit Gleichgültigkeit oder Verzweiflung reagieren. Unsere Generation wird die Zunahme der Weltbevölkerung um mindestens eine weitere Milliarde erleben.
   Wie reagieren Sie darauf? Wie stehen Sie zu empfängnisverhütenden Medikamenten? Wie zu Familienplanung und Abtreibung?
2. In den Ländern, in denen die Industrialisierung schon weit fortgeschritten ist, nimmt die Bevölkerung nur noch sehr langsam zu; in einigen Ländern gibt es sogar einen Rückgang der Bevölkerung. Wie ist das zu erklären?
3. Betrachten Sie die Grafik auf Seite 26 genau: Vergleichen Sie die Zahlen auf der Zeitebene (horizontal) und in bezug auf Industrie- und Entwicklungsländer (vertikal). Welche Aussagen können Sie machen?
4. Manche Zukunftsforscher meinen, daß es nur einen Weg gibt, die Bevölkerungszunahme zu stoppen: nämlich die weltweite Industriegesellschaft, die – wie man sieht – eine wesentlich geringere Geburtenrate zur Folge hat. Diskutieren Sie diesen Vorschlag! Was wären die Folgen?
5. Andere meinen, es wäre unbedingt nötig, daß die Mädchen und jungen Frauen in der Dritten Welt besser ausgebildet würden, so daß die Furcht vor der Kindersterblichkeit sich verringerte und die Frauen ihre Kinderzahl selbst bestimmen könnten. Wäre das möglich? Wie wäre die Reaktion der Männer?

6. Sollte man – vielleicht mit Hilfe der Industrieländer – eine allgemeine Altersrente garantieren? Würde das die Kinderzahl verringern? Diskutieren Sie weiter. Machen Sie Vorschläge.

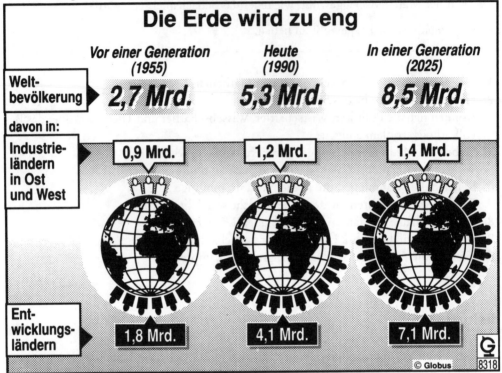

Wie viele Menschen kann die Erde auf die Dauer ertragen: 5,3 Milliarden wie gegenwärtig? 8,5 Milliarden, wie sie für das Jahr 2025 vorausgeschätzt werden? Oder gar 11 Milliarden, wie sie für das Ende des kommenden Jahrhunderts in Sicht kommen? Es sieht so aus, als wolle die Menschheit blindlings bis an die Grenze des Erträglichen weiterwachsen. Binnen einer Generation, zwischen 1955 und heute, wuchs die Weltbevölkerung von 2,7 auf 5,3 Milliarden; und im Zeitraum einer weiteren Generation, bis zum Jahre 2025, werden daraus wahrscheinlich 8,5 Milliarden geworden sein. Sie alle wollen essen, Kleidung, ein Dach über dem Kopf und wenigstens eine Aussicht auf bescheidenen Wohlstand. Aber schon die gegenwärtige Weltbevölkerung ist dabei, ihre Lebensgrundlagen zu zerstören. Umweltverschmutzung, Abholzung der Tropenwälder, Bodenerosion, Treibhauseffekt, Ozonloch sind beunruhigende Anzeichen dafür. Die Industrieländer mit ihrem hohen Energiebedarf und ihrer riesigen Güterproduktion haben entscheidenden Anteil an der Umweltverschmutzung. In den Entwicklungsländern ist es oft die Armut, die dazu zwingt, die Lebensgrundlagen für morgen zu zerstören, um heute zu überleben.

Umsteigen statt durchstarten

„Das ist ganz schön teuer", meint die Kollegin, die dem Hamburger Verkehrsverbund vier Mark bezahlt hat, um ein paar Busstationen hin und zurück zu kommen.
5 Wäre da nicht das leidige Parkplatzproblem, hätte sie vielleicht den Wagen genommen und viel weniger an Benzingeld ausgegeben. Der Besitzer einer Monatskarte hingegen hätte den Busausflug umsonst unternommen.

10 In vielen Städten wird der Verkehr immer dichter. Autoabgase und Lärm setzen den Bewohnern zu, so daß sie – wenn möglich – in Vororte ziehen.

15 Doch die Flucht aus der Stadt erhöht die Zahl der täglich ins Zentrum fahrenden Pkws. Anfang 1988 waren bereits über 30 Millionen Bundesbürger motorisiert, mehr als die Hälfte der Bevölkerung.

20 Immer mehr Jugendliche und Frauen fahren mit dem eigenen Wagen, und immer mehr ältere Menschen sind so mit dem Auto vertraut, daß sie sich auch im hohen Alter noch hinters Steuer setzen. Ein Ende
25 des Autobooms ist auch bei einer konstanten Bevölkerungszahl nicht abzusehen.

Ideen und Versuche zur Verkehrsberuhigung gibt es viele. So formulierte der Stadtrat von Zürich seine Ziele klar und nüch-
30 tern: „Die Freiheit der Wahl der Verkehrsmittel muß dort ihre Grenzen finden, wo die Lebensgrundlagen des ganzen Volkes oder einzelner Bevölkerungsgruppen unmittelbar oder langfristig gefährdet sind."

Bei Transporten muß in Zukunft das um- 35 weltverträglichste Verkehrsmittel dem billigsten vorgezogen werden.

In Zürich versucht man, die Pendler zum Umsteigen auf Bahnen und Busse zu bewegen. Der öffentliche Nahverkehr soll billi- 40 ger und schneller werden. So schalten die Ampeln automatisch auf Grün, sobald sich eine Straßenbahn nähert. Auf der „grünen Welle" kommt sie rasch durch die Stadt. Was billigere Tarife bewirken können, 45 zeigt sich in der südwestdeutschen Stadt Freiburg: nach der Einführung eines „Umwelt-Abos" stieg die Zahl der Fahrgäste erheblich.

Schärfere Maßnahmen beschloß das 50 Stadtparlament der schwedischen Hauptstadt Stockholm: Jeder Autofahrer, der ins Zentrum will, muß in Zukunft eine Monatskarte der S-Bahn kaufen. Mit den zusätzlichen Einnahmen soll der öffentliche 55 Nahverkehr ausgebaut werden. Und für die Stockholmer Autobesitzer wird es aus Kostengründen interessanter, ab und zu mit der S-Bahn zu fahren. Die Karte haben sie sowieso, und sie sparen Benzingeld. Al- 60 lerdings steigt die monatliche finanzielle Belastung um etwa 80 Mark.

Aber Angebotsverbesserungen allein bewirken noch nicht viel, um die Leute vom Auto weg und auf Bahnen oder Busse zu 65 bringen. Weitere Beschränkungen wie Tempo 30 in der Innenstadt und in Wohngebieten, mehr Fußgängerzonen und weni-

ger Parkplätze sind nötig, um dieses Ziel zu
erreichen. Und auch dann, wenn aller Autoverkehr aus den Zentren verschwunden
wäre, auch wenn Pendler ihren Wagen nur
noch selten aus der Garage holen und in
der Regel mit Bus oder Bahn unterwegs
wären, hätte man das Problem damit noch
keineswegs gelöst: In der menschengerech-
ten Stadt der Zukunft sollte der Verkehr in
dem Maße gar nicht erst entstehen.

Eine Untersuchung hat gezeigt, daß immer mehr Menschen immer länger unterwegs sind, um Schule oder Arbeitsplatz zu
erreichen. Schuld daran ist die Aufteilung
der Städte in Industriegebiete und Wohnviertel. Das war durchaus sinnvoll zu jenen
Zeiten, als die Industrie noch viel Lärm und
Gestank produzierte. Heute arbeiten sehr
viele Menschen im Büro; auch ist die Industrie leise und sauberer geworden. Und damit ist die Chance gegeben, Wohnen und
Arbeiten wieder räumlich zusammenzu-
führen, die Zersiedelung der Landschaft zu
beenden, lebendige Stadtteile zu schaffen,
in denen die Bürger wohnen und zu Fuß
oder per Fahrrad ihren Arbeitsplatz oder
die Geschäfte zum Einkaufen erreichen
könnten.

Nach: *Umsteigen statt durchstarten*, Deutsches Allgemeines Sonntagsblatt

durchstarten *hier:* mit dem eigenen Auto fahren

der Verkehrsverbund Zusammenschluß von Bus- und Straßenbahnlinien

leidig unangenehm, lästig

jdm. zusetzen jdn. quälen, jdn. sehr stark belasten

motorisiert sein ein Auto oder Motorrad (=Kraftfahrzeug) haben

vertraut sein jdn. oder etwas sehr genau kennen

der Autoboom die Zahl der Autos steigt immer schneller

der öffentliche Nahverkehr Busse und Bahnen in einer Stadt

die grüne Welle man kann an mehreren Ampeln hintereinander durchfahren, ohne halten
zu müssen

das Abo, -s Kurzform für *Abonnement* (man bekommt regelmäßig seine Morgenzeitung,
Theaterkarten o.ä.)

die Beschränkung, -en *hier:* Begrenzung

die Fußgängerzone, -n ein Gebiet im Stadtzentrum, wo Autos in der Regel nicht fahren dürfen

der Pendler, - jd., der in einem Ort wohnt und in einem anderen arbeitet

die Zersiedelung Zerstörung der Landschaft um die Städte durch planlose Bebauung, Besiedelung

verstehen

Nur ein Teil der folgenden Aussagen zum Text ist richtig. Kreuzen Sie bitte <u>alle</u> richtigen Aussagen an.

1. Der immer dichter werdende Autoverkehr in den Städten hat zur Folge, daß
   a) es mehr Abgase gibt.   ❏
   b) es mehr Lärm gibt.   ❏
   c) den Menschen in der Stadt der Verkehr immer lästiger wird.   ❏

2. In Stockholm hat das Stadtparlament beschlossen, daß
   a) jeder Bürger eine Monatskarte für die S-Bahn kaufen muß.   ❏
   b) jeder Autofahrer eine Monatskarte für die S-Bahn kaufen muß.   ❏
   c) jeder, der mit dem Auto in die Innenstadt fahren will, eine Monatskarte für
      die S-Bahn besitzen muß.   ❏

3. Der Autor stellt weiter fest:
   a) Die Zahl der motorisierten Bürger bleibt konstant.   ❏
   b) Auch Jugendliche fahren schon mit dem eigenen Wagen.   ❏
   c) Ältere Menschen haben kein Vertrauen zum Auto.   ❏

4. Um mehr Menschen dazu zu bringen, ihr Auto in der Garage zu lassen,
   werden im Text folgende Ideen erwähnt:
   a) Benzin soll teurer werden.   ❏
   b) Die Gebühren für öffentliche Verkehrsmittel sollen gesenkt werden.   ❏
   c) Die Straßenbahnen sollen an den Ampeln freie Fahrt haben.   ❏

5. In Freiburg stieg die Zahl der Fahrgäste in den öffentlichen Verkehrsmitteln, weil
   a) man den Fahrpreis gesenkt hat.   ❏
   b) man viele Straßen für den Privatverkehr gesperrt hat.   ❏
   c) weil jeder eine Monatskarte kaufen mußte.   ❏

6. Wenn mehr Menschen in die Vororte ziehen, hat das zur Folge, daß
   a) die Menschen sich dort ihre Arbeit suchen.   ❏
   b) weniger Menschen in die Innenstadt kommen.   ❏
   c) daß mehr Menschen mit ihren Autos in die Innenstadt fahren.   ❏

7. Die Stadt Zürich fordert, daß
   a) jeder Bürger freie Wahl bei der Benützung der Verkehrsmittel hat.   ❏
   b) jeder Bürger das für ihn bequemste Verkehrsmittel benützen kann.   ❏
   c) nur die Verkehrsmittel eingesetzt werden sollen, die am umwelt-
      freundlichsten sind.   ❏

8. Schuld daran, daß immer mehr Menschen immer länger unterwegs sind, ist
   a) die Zersiedelung der Städte. ❑
   b) die frühere Trennung von Industrie- und Wohngebieten. ❑
   c) daß die Industrie leiser und sauberer geworden ist. ❑

üben

 I *Beantworten Sie die Fragen selbständig nach folgendem Muster:*

---

einen Ausflug unternehmen (vgl. Z. 9) – Was kann man unternehmen?
(eine Reise / eine Expedition / eine Fahrt ins Grüne)

> Die Familie unternimmt eine Urlaubsreise. – Die Forscher haben eine Expedition nach Feuerland unternommen...

---

1. die Autoabgase setzen den Menschen zu (vgl. Z. 11) – Was setzt wem zu? (den Großstädtern der Fluglärm; dem gerade Operierten die Schmerzen; den Hotelgästen die laute Musik)
2. mit dem Auto vertraut sein (vgl. Z. 22) – Wer ist womit vertraut? (der Arbeiter mit seiner Maschine; der Steuerberater mit seinen Gesetzen; der Tierarzt mit der Eigenart der Tiere)
3. ein Ende des Autobooms ist nicht abzusehen (vgl. Z. 24) – Was ist nicht abzusehen? (eine Beendigung der Kämpfe; ein Nachlassen der Kälte; die Folgen einer Entwicklung)
4. etwas findet seine Grenzen (vgl. Z. 31) – Was kann seine Grenzen finden? (der technische Fortschritt, wenn ...; die Macht eines Diktators, wenn ...; die Freiheit der Wahl des Verkehrsmittels, ...)
5. das umweltverträglichste Verkehrsmittel muß dem billigsten vorgezogen werden. (vgl. Z. 35) – Wen oder was ziehen Sie einer Person (oder Sache) vor? (eine Freundin einer anderen; eine Schiffsreise einer Flugreise; den Kaffee dem Tee; eine Wanderung einer Fahrradtour)
6. die Pendler zum Umsteigen bewegen (vgl. Z. 38) – Wozu kann man jdn. bewegen? (den Nachbarn zur Hilfe; den Beamten zum Verständnis für eine schwierige Sache; den Freund zum Mitkommen)
7. Maßnahmen beschließen (vgl. Z. 50) – Wer beschließt was? (der Gesetzgeber ein Gesetz; die Versammlung einen Antrag; die Gewerkschaft einen Streik)
8. an etwas schuld sein (vgl. Z. 83) – Woran kann man schuld sein? (an einem Fehler in der Abrechnung; an der Luftverschmutzung; an einem Verkehrsunfall)
9. und damit ist die Chance gegeben, ... (vgl. Z. 89) – Wodurch ist einer Sache / einer Person eine Chance gegeben und wozu? (durch die Sanierung der Flüsse – dem Leben im Wasser; durch die Reinerhaltung der Luft – eine größere Lebensqualität; durch soziale Maßnahmen für den Strafentlassenen – ein neues Leben beginnen)

II *Formen Sie die Sätze so um, daß aus dem nominalen ein verbaler Ausdruck entsteht.*

Die Flucht der Menschen aus der Stadt erhöht die Zahl der ins Zentrum fahrenden Pkws. (Dadurch, daß ...)

> Dadurch, daß die Menschen aus der Stadt fliehen, erhöht sich die Zahl der in die Stadt fahrenden Pkws.

---

1. In Zürich versucht man, die Pendler *zum Umsteigen auf Bahnen und Busse* zu bewegen. (...die Pendler dazu zu bewegen, daß ...)
2. *Nach der Einführung eines „Umwelt-Abos"* stieg die Zahl der Fahrgäste erheblich. (Nachdem man ...)
3. *Die monatliche Belastung* für den Bürger steigt um 80 Mark. (Der Bürger wird mit ...)
4. *Weitere Beschränkungen* sind nötig. (Es ist nötig, sich ...)
5. Schuld daran ist *die Aufteilung der Städte in Industriegebiete und Wohnviertel.* (Schuld daran ist, daß man ...)
6. Und damit ist die Chance gegeben, *die Zersiedelung der Landschaft* zu beenden. (... daß man aufhört, ...)
7. Die Bürger könnten zu Fuß oder per Fahrrad die Geschäfte *zum Einkaufen* erreichen. (... die Geschäfte erreichen, wenn sie ...)

III *Formen Sie die Sätze nun so um, daß aus dem verbalen Ausdruck ein nominaler wird.*

Sobald sich eine Straßenbahn nähert, schalten die Ampeln automatisch auf Grün. (das Herannahen)

> Beim Herannahen einer Straßenbahn schalten die Ampeln automatisch auf Grün.

---

1. Nach der Einführung eines „Umwelt-Abos" stieg die Zahl der Fahrgäste in Freiburg erheblich. (ein Anstieg / zu verzeichnen sein)
2. Jeder Autofahrer, der ins Zentrum will, muß sich eine Monatskarte der S-Bahn kaufen. (zum Kauf / gezwungen werden)
3. Allerdings steigt die monatliche finanzielle Belastung um etwa 80 Mark. (ein Ansteigen / nicht vermeidbar)
4. Das Problem des stark anwachsenden Autoverkehrs hätte man damit noch nicht gelöst. (eine Lösung / nicht in Sicht sein)

5. Damit ist die Chance gegeben, Wohnen und Arbeiten wieder räumlich zusammenzu-
   führen. (eine räumliche Zusammenführung (Gen.) von ...)
6. So ist es möglich, die Zersiedelung der Städte zu beenden. (ein Ende bereiten)
7. Damit besteht die Aussicht, lebendige Stadtteile zu schaffen. (zur Schaffung)

diskutieren

1. Was für eine Meinung haben Sie zu diesem Thema? Welche Ansicht vertreten Sie? Formulieren Sie Ihre Gedanken entweder in Form eines Leserbriefes an das „Deutsche
   Allgemeine Sonntagsblatt" oder versuchen Sie, einen lustigen Cartoon zu zeichnen.
2. Bilden Sie zwei Gruppen unter Vorsitz eines Diskussionsleiters. Die eine Gruppe besteht aus Pendlern und Leuten aus der Umgebung, die regelmäßig zum Einkauf in die
   Stadt fahren, die andere aus Bewohnern der Innenstadt. Jede Gruppe vertritt ihren
   Standpunkt, der Diskussionsleiter faßt zusammen, macht Lösungsvorschläge und versucht, eine Einigung herbeizuführen.
3. Bilden Sie ein „Stadtparlament" mit Vertretern aller Parteien. Wählen Sie einen „Vor-
   sitzenden". Ein „Sachverständiger für Verkehrsfragen" berichtet über die katastrophalen Verkehrsverhältnisse in der Innenstadt besonders während der Stoßzeiten, von
   geplanten Umgehungsstraßen, geplanten Parkhochhäusern und Tiefgaragen usw. Anschließend nimmt das „Parlament" dazu Stellung. Lassen Sie während Ihrer Sitzung
   auch andere Interessengruppen zu Wort kommen; eine Bürgerinitiative, eine Gruppe
   von Ladenbesitzern, einigen Anwohnern usw.

die Stoßzeit, -en Zeiten mit besonders starkem Verkehr

die Umgehungsstraße, -n Straße, die am Stadtrand entlangführt und verhindern soll, daß der Fern-
   verkehr durch die Stadt geht.

Leserbriefe

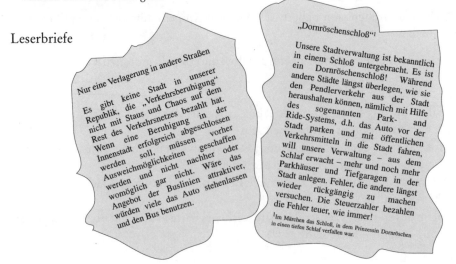

Nur eine Verlagerung in andere Straßen

Es gibt keine Stadt in unserer Republik, die „Verkehrsberuhigung" nicht mit Staus und Chaos auf dem Rest des Verkehrsnetzes bezahlt hat. Wenn eine Beruhigung in der Innenstadt erfolgreich abgeschlossen werden soll, müssen vorher Ausweichmöglichkeiten geschaffen werden und nicht nachher oder womöglich gar nicht. Wäre das Angebot der Buslinien attraktiver, würden viele das Auto stehenlassen und den Bus benutzen.

„Dornröschenschloß"[1]

Unsere Stadtverwaltung ist bekanntlich in einem Schloß untergebracht. Es ist ein Dornröschenschloß! Während andere Städte längst überlegen, wie sie den Pendlerverkehr aus der Stadt heraushalten können, nämlich mit Hilfe des sogenannten Park- and Ride-Systems, d.h. das Auto vor der Stadt parken und mit öffentlichen Verkehrsmitteln in die Stadt fahren, will unsere Verwaltung – aus dem Schlaf erwacht – mehr und noch mehr Parkhäuser und Tiefgaragen in der Stadt anlegen. Fehler, die andere längst wieder rückgängig zu machen versuchen. Die Steuerzahler bezahlen die Fehler teuer, wie immer!

[1]Im Märchen das Schloß, in dem Prinzessin Dornröschen in einen tiefen Schlaf verfallen war.

Ist Mexiko-Stadt noch zu retten?

Mexiko-Stadt, im November. Am vergangenen Sonntag bot sich den Besuchern der mexikanischen Hauptstadt ein seltenes Bild: Der Himmel war strahlend blau, die
5 Sicht völlig klar. Weit im Hintergrund konnte man die beiden schneebedeckten Vulkane sehen, den 5452 Meter hohen Popocatépetl und die 5286 Meter hohe Iztaccíhuatl. Am Abend glitzerten über dem auf
10 2400 Meter Höhe liegenden Tal die Sterne. Es ließ sich erahnen, warum diese Stadt noch bis in die fünfziger Jahre hinein als eine der schönsten Städte Lateinamerikas galt.

Fünf Millionen Mexikaner hatten ein
15 verlängertes Wochenende genutzt, um dem Smog und dem Lärm der Millionenmetropole zu entfliehen; eine Million Autos hatten nach Angaben des Ministeriums die Stadt verlassen. Jetzt sind Menschen und
20 Autos zurückgekehrt, und lange werden sich die Bewohner am Schauspiel ihrer Vulkane nicht mehr erfreuen können. Die Abgase von drei Millionen Fahrzeugen werden wieder das Licht mit einer dicken, mil-
25 chigen Smogwolke trüben. Umweltschützer werden nicht müde, darauf hinzuweisen, daß 85 Prozent der Umweltverschmutzung der Hauptstadt durch diese drei Millionen Autos entstehen. Die Luft-
30 verschmutzung in der Hauptstadt sei so katastrophal, daß auch Wochenenden oder kürzere Ferienzeiten nicht mehr ausreichten, um eine Erholung der Atmosphäre zu ermöglichen.

Die Meteorologen des staatlichen Wetter- 35
dienstes befürchten einen harten Winter: Fälle von „umgekehrter Wetterlage" würden sich häufen. Die angesehene Finanzzeitung „El Financiero" sagt deshalb für diesen Winter eine Umweltkatastrophe 40 voraus: Krankheiten der Atemwege aller Art würden unter Kindern und alten Leuten „dramatisch" zunehmen, sportliche Aktivitäten müßten eingeschränkt werden.

Immer häufiger wird der Stadt eine dü- 45
stere Zukunft vorhergesagt, immer häufiger ist zu hören, daß die Umweltprobleme ein Ausmaß angenommen hätten, das eine Rettung unmöglich mache. Die planlose Ausdehnung bringe Mexiko-Stadt an den 50 Rand einer Katastrophe, steht in einer Studie, die erst vor wenigen Tagen in „El Financiero" veröffentlicht wurde.

Die Studie stellt fest: Von der Gesamtfläche des Hochtals von Mexiko seien inzwi- 55 schen rund 83 Prozent bebaut. Die Hauptstadt habe rund 20 Millionen Einwohner und „mindestens" 2,5 Millionen Fahrzeuge.

Der Tecoco-See auf der mexikanischen 60 Hochfläche ist nahezu ausgetrocknet. Rund 80 000 Brunnen senken den Grundwasserspiegel um einen bis eineinhalb Meter pro Jahr. Drei Viertel des Waldbestandes, hauptsächlich Nadelbäume und Ei- 65 chen, sind abgeholzt. Die systematische Austrocknung des umliegenden Landes hat der Studie nach verheerende Folgen. Ge-

70 bäude weisen Risse auf und sinken beständig, in einigen Stadtbezirken in den vergangenen hundert Jahren um sechs bis neun Meter. Inzwischen sind es zwischen fünf und dreißig Zentimetern pro Jahr. Die Durchschnittstemperatur in Mexiko-Stadt 75 ist in den vergangenen Jahren um 1,4 Grad gestiegen. Die Abwässer sind durch die biologisch nicht abbaubaren Waschmittel und industrielle Abfallstoffe belastet. Dies erschwert und verteuert ihre Aufbereitung. 80 Die Autoren der Studie kommen zu dem Schluß, daß die Stadtverwaltung eine halbwegs zufriedenstellende Ver- und Entsorgung der Stadt demnächst nicht mehr sicherstellen kann. „El Financiero" erklärt einen Großteil dieser Probleme damit, daß 85 man den durch die unrechtmäßige Besetzung von Siedlungsgebiet in der Hauptstadt entstehenden Schwierigkeiten zuwenig Beachtung geschenkt hätte. Die Stadt wird im nächsten Jahrzehnt um durch- 90 schnittlich 700 000 Einwohner pro Jahr wachsen, immer vorausgesetzt, die Geburtenrate von 2,5 Prozent in der Hauptstadt und 6,7 Prozent in den umliegenden ländlichen Gebieten ändert sich nicht. 95

Nach: H. Stausberg, *An einem Tag ohne Auto zur Arbeit – Umweltverschmutzung in Mexiko*, FAZ

der Vulkan, -e Berg, aus dem Feuer und Rauch kommen

glitzern unregelmäßig leuchten (z.B. Wasser in der Sonne)

der Smog (aus engl. **smoke** und **fog** zusammengesetzt) Mischung von Rauch und Nebel

die Metropole, -n Hauptstadt

der Meteorologe, -n Fachmann für Wetter- und Klimaforschung

die umgekehrte Wetterlage tritt ein, wenn sich eine Kaltluftschicht wie eine Glocke über die Warmluft legt, wodurch kein Austauch der Luft mehr möglich ist

dramatisch *hier:* sehr stark

düster dunkel, bedrohlich

die Ausdehnung, -en flächenmäßige Vergrößerung

die Studie, -n kurze Darstellung zu einer wissenschaftlichen Untersuchung

beständig dauernd, unaufhörlich

das Abwasser, ⁻ abfließendes verschmutztes Wasser

Abfallstoffe (Pl.) Reste, die bei der Herstellung von etwas übrigbleiben und *(hier)* ins Abwasser geleitet werden

die Aufbereitung, -en *hier:* Reinigung des Schmutzwassers, so daß es z.B. in Flüsse eingeleitet werden kann, ohne Schaden anzurichten

Ver- und Entsorgung *hier:* Bereitstellung von Lebensmitteln und Gütern sowie Abtransport und Beseitigung der entstehenden Abfallstoffe

die Geburtenrate, -n Prozentangabe, um wieviel höher die jährliche Zahl der Geburten liegt als die der Sterbefälle

verstehen

Welche Erklärung stimmt? Entscheiden Sie mit Hilfe des Textes.

?

1. es ließ sich erahnen (Z. 11)
   a) man konnte vorausehen ❏
   b) man konnte nicht wissen ❏
   c) man konnte sich eine ungefähre Vorstellung machen ❏

2. die Fälle würden sich häufen (Z. 37)
   a) es würden mehr solche Fälle eintreten ❏
   b) die Fälle würden schwieriger werden ❏
   c) es würden mehrere Fälle auf einmal kommen ❏

3. die sportlichen Aktivitäten müßten eingeschränkt werden (Z. 43)
   a) bestimmte Sportarten könnten nicht mehr ausgeführt werden ❏
   b) es wäre notwendig, daß weniger Sport getrieben würde ❏
   c) es müßte verboten werden, Sport zu treiben ❏

4. verheerende Folgen (Z. 68)
   a) ganz schlimme Auswirkungen ❏
   b) vernichtende Reihenfolge ❏
   c) Verwüstungen durch Soldaten ❏

5. biologisch nicht abbaubar (Z. 77)
   a) etwas kann auf biologischem Weg nicht abgerissen werden ❏
   b) etwas kann mit Hilfe von Bakterien nicht in harmlosere Stoffe umgewandelt
      werden ❏
   c) biologisch nicht verwendbar ❏

6. die Ver- und Entsorgung sicherstellen (Z. 82)
   a) allen Leuten versichern, daß für die Ver- und Entsorgung gesorgt ist ❏
   b) dafür sorgen, daß alle Bewohner genügend Trinkwasser und Lebensmittel
      haben und daß die Abwässer abgeleitet und aufbereitet werden ❏
   c) alle Menschen werden mit genügend Lebensmitteln und Medikamenten
      versorgt ❏

7. die unrechtmäßige Besetzung von Siedlungsgebiet (Z. 86)
   a) bereits vorhandene Siedlungen werden gewaltsam in Besitz
      genommen ❏
   b) Land wurde ohne Genehmigung in Besitz genommen und bebaut ❏
   c) Menschen setzen sich auf Gebiet, das ihnen nicht gehört: sie machen
      sozusagen einen Sitzstreik ❏

Beantworten Sie.

8. Mit diesem Artikel will die Autorin den Leser über die Probleme von Mexiko-Stadt informieren. In welchen Teilen des Textes berichtet die Autorin selbst? Geben Sie bitte die entsprechenden Zeilen an.
9. Was berichtet sie? – Fassen Sie den Inhalt kurz zusammen.
10. In welchen Teilen des Textes gibt die Autorin die Aussagen anderer Informanten wieder? – Nennen Sie die anderen Informanten, und geben Sie die Textstellen an.
11. Welche Probleme der Stadt werden von den anderen Informanten genannt? (Antworten Sie am besten in Stichworten.)
12. Der Bericht der Autorin unterscheidet sich stilistisch von den Aussagen der anderen Informanten. – Worin liegt der stilistische Unterschied, und warum ist das so?
13. Wenn Sie den Text in zwei große Teile einteilen wollten, welche Einteilung würden Sie bevorzugen? – Begründen Sie Ihre Ansicht.
    a) Zeilen 1 – 25 / Zeilen 25 – 95
    b) Zeilen 1 – 53 / Zeilen 54 – 95
    c) Zeilen 1 – 34 / Zeilen 35 – 95

der Informant, -en jd., der eine Information weitergibt

üben

I   *Formen Sie die Sätze 1 bis 10 unter Verwendung des dahinter gegebenen Ausdrucks um.*

1. An einem gewöhnlichen Werktag macht Mexiko-Stadt auf den Besucher den Eindruck einer vom Smog verdunkelten Stadt. (Mexiko-Stadt bietet (jdm.) das Bild + Gen.)
2. Die Wasserversorgung ist ein äußerst schwieriges Problem. (gelten als)
3. Die Einwohner fahren, wenn irgend möglich, hinaus aus dieser Stadt mit ihrem Lärm und Gestank. (einer Sache entfliehen)
4. Draußen genießen sie noch den blauen Himmel und die schöne Natur. (sich erfreuen an)
5. Man wird bald nicht mehr genügend Wasser haben, um die Stadt zu versorgen. (etwas reicht nicht aus)
6. In der Zeitung stand eine Studie von Fachleuten, die sich mit den Problemen der Stadt beschäftigte. (etwas wird veröffentlicht)
7. Fachleute rechnen für Mexiko-Stadt im Jahr 2000 mit ca. 30 Millionen Einwohnern. (voraussagen, daß)
8. Über das schnelle Wachstum der Bevölkerung sind die Planer verzweifelt. (jdn. an den Rand der Verzweiflung bringen)

9. Man wird die Ver- und Entsorgung der Stadt demnächst nicht mehr sicherstellen können. (Es ist damit zu rechnen, daß)
10. Infolge der Umweltzerstörung der an die Stadt angrenzenden Gebiete ist die Wasser-
    versorgung außerordentlich problematisch geworden; so urteilen zumindest Fachleu-
    te. (jd. kommt zu dem Schluß, daß)

II *Antworten Sie bitte. Sie haben (fast) immer drei Möglichkeiten.*

A: Kann man Mexiko-Stadt noch retten?
   (Nach Ansicht der Experten / kaum noch)

B: Nach Ansicht der Experten *kann man* Mexiko-Stadt kaum noch *retten*.
   Nach Ansicht der Experten *kann* Mexiko-Stadt kaum noch *gerettet werden*.
   Nach Ansicht der Experten *ist* Mexiko-Stadt kaum noch *zu retten*.

---

1. Kann man die hohen Vulkane von Mexiko-Stadt aus noch sehen? (nur noch selten)
2. Kann man die Luftverschmutzung der Hauptstadt verhindern? (nur mit sehr strengen
   Maßnahmen)
3. Müssen Fälle von umgekehrter Wetterlage befürchtet werden? (ja / leider)
4. Müssen die sportlichen Aktivitäten eingeschränkt werden? (ja, vorsichtshalber)
5. Werden Erkrankungen der Atemwege befürchtet? (ja / besonders bei Kindern und alten Leuten)
6. Kann man die planlose Ausdehnung der Stadt verhindern? (nein / offenbar nicht)
7. Muß der noch existierende Wald nicht geschützt werden? (natürlich / unbedingt)
8. Stimmt es, daß die Waschmittel biologisch nicht abgebaut werden können? (ja / offenbar ... nicht)
9. Kann die Ver- und Entsorgung der Stadt in Zukunft noch sichergestellt werden?
   (nein / aller Voraussicht nach nicht mehr)
10. Müßte der unrechtmäßigen Besetzung von Siedlungsgebieten nicht mehr Beachtung
    geschenkt werden? (doch / unbedingt)

diskutieren

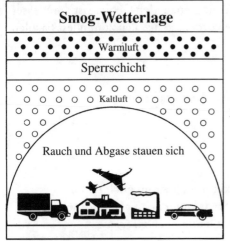

Smog-Wetterlage
Warmluft
Sperrschicht
Kaltluft
Rauch und Abgase stauen sich

1. Erklären Sie die im Text erwähnte „umgekehrte Wetterlage" anhand nebenstehender Abbildung. Viele Städte ergreifen besondere Maßnahmen in einem solchen Fall. Welche kennen Sie? Welche Maßnahmen würden Sie empfehlen?

2. In welche Schwierigkeiten geraten Städte wie Mexiko-Stadt durch das unkontrollierte Wachstum?
   a) Fassen Sie die im Text genannten Probleme zusammen.
   b) Welche anderen Probleme können Sie noch anführen? (Denken Sie auch an Slums, Kriminalität usw.)

3. Wählen Sie aus Ihrer Mitte ein „Gremium". Es soll die Frage „Wie kann man ungesunde Entwicklungen von Großstädten verhindern?"
   a) diskutieren und
   b) einen „Forderungskatalog" zum Thema aufstellen.
   Der unten abgedruckte Auszug kann Ihnen dabei helfen.

das Gremium, -en Gruppe von Sachverständigen

der Forderungskatalog, -e Liste der notwendigen Maßnahmen

Probleme der Großstadt:
Wirtschaftl. Interessen (Konzentration von Handel und Verwaltung in den S.zentren) und steigende Mieten haben die Bewohner aus den S.zentren verdrängt; dadurch entstand eine räumliche *Trennung* zw. Arbeits- und Wohnstätten, die eine Verödung der S.zentren nach Arbeitsschluß mit sich brachte; die alte Bausubstanz wurde (soweit nicht bereits in den beiden Weltkriegen zerstört) durch die v.a. nach dem 2. Weltkrieg sich durchsetzende *Betonbautechnik* durch Hochhäuser aus Glas und Beton ersetzt, zw. denen kein städt. Leben möglich ist („Unwirtlichkeit der S."; A. Mitscherlich). Die S. selbst wuchsen planlos entlang den Ausfallstraßen; die besser Verdienenden siedelten sich in *S.erweiterungsgebieten* im Grünen an; im 19. Jh. geschah dies in geplanten Reihenvillengebieten (Bremen, Hamburg, Rheinland), im 20. Jh. weitgehend regellos in Gebieten mit Einfamilienhäusern an den Stadträndern. Um die Ausbreitung der S. unter Kontrolle zu bekommen, wurden an den

S.peripherien *Trabantenstädte* errichtet, oft mit riesigen Hochhauskomplexen, die auf die Wohnfunktion reduziert waren. In diesen sog. *Schlafstädten* leben v.a. Hausfrauen, alte Leute, Kinder wegen fehlender kultureller und sozialer Einrichtungen isoliert; später wurden auf Grund dieser Mängel zur Entlastung der Groß-S. neue S. mit Versorgungsfunktionen des tägl. und teilweise des gehobenen Bedarfs, die gleichzeitig auch Gewerbestandorte bildeten, errichtet (Satellitenstädte). Diese Lösung strebte bereits um die Jh.wende das Konzept der ↑Gartenstadt an, das sich jedoch nicht durchsetzte. Die räuml. Trennung der Wohn- und Arbeitsstätten wird meist durch getrennte Standorte des Freizeitbereichs mit Einkaufszentren und kulturellen Einrichtungen (Kinos, Theater, Konzerthallen) verstärkt. Dadurch entstehen zusätzliche Verkehrsprobleme, die nur durch aufwendigen Straßen- und Brückenbau (*S.autobahnen*) sowie durch U- und S-Bahnen gelöst werden können. Die in den 1920er Jahren als besonders human empfundene *strikte Trennung* von *städt. Funktionen* versucht man neuerdings verstärkt durch ein System *mehrerer* gleichrangiger S.schwerpunkte im Sinne einer Traubendolde (Polyzentrismus) zu ersetzen. Durch ungezügeltes Wachstum der Ballungsgebiete mit ihren Industrieansiedlungen und Betonhochhäusern werden die natürl. *Ökosysteme* zerstört. S. besitzen ein eigenes *Mikroklima*, das sich durch verringerte Windgeschwindigkeit (Oberflächenrauhigkeit durch Gebäude), durch in der Luft sich entwickelnde Dunstglocken (mit hohem Gehalt an Schwebstoffen und Staub), die beträchtl. Teile des Sonnenlichts absorbieren, hohe Nebelhäufigkeit und Überwärmung (Wärmespeicherung durch Steine und Asphalt) auszeichnet und nur durch ausreichende Grünanlagen reguliert werden kann. Die Ballung von Menschen, Ind. und Verkehr in den Groß-S., einhergehend mit Lärm, Luftverschmutzung und verschlechterten klimat. Bedingungen, bringt zusätzl. körperl. und psych. Belastungen mit sich.

Quelle: Meyers Taschenlexikon 1983

Umweltprobleme – auch in der Tierwelt

Daß es auch in der Tierwelt – bei wachsender Zahl der Lebewesen – Umweltprobleme gibt, die sie durch geeignete Maßnahmen wenigstens für eine gewisse Zeit über-
5 winden kann, zeigt der folgende Beitrag:

Der in der südlichen Nordsee lebende Brotkrustenschwamm besteht aus vielen Einzelzellen, die – allein nicht lebensfähig – zu einer Sozietät
10 zusammengeschlossen sind. Wenn sich die einzelnen Individuen (Zellen) vermehren, entstehen verschiedene Wuchsformen, die deshalb notwendig sind, weil der Schwammkörper
15 verbrauchtes und damit für ihn schädliches Wasser wieder ausstoßen muß.

Die erste und häufigste Wuchsform des Brotkrustenschwamms ist das Stadium

einer kaum 5 mm dicken, dicht an einer 20 harten Unterlage angewachsenen Kruste (daher der Name), die sich in der Fläche nach allen Seiten ausbreitet. Die weiten Ausströmöffnungen, die der Entwässerung

Abb. 1   Abb. 2

des Schwammkörpers dienen und für meh- 25
rere Einzelzellen (Individuen) nützlich

sind, stehen im Abstand von 1 – 2 cm über die Kruste verteilt. (Abb. 1)

Die Sozietät hat in diesem Stadium eine Flä-
30 chenausdehnung von 12 cm Durchmesser.

Wenn die Sozietät sich weiter ausbreitet, garantieren die Ausströmöffnungen keine Entgiftung mehr, denn die Abwässer würden
35 auf den Schwamm zurückfallen. Deshalb bringt nur eine Überhöhung der Ausström-öffnungen um mehrere Millimeter einen Ausweg. So können die Abwässer ausgesto-ßen werden, ohne die Sozietät zu gefährden.
40 Mit der zunehmenden Ausbreitung der So-zietät nach allen Seiten wachsen die Aus-strömöffnungen schließlich zu schornstein-artigen Röhren in die Höhe; sie werden bis zu 3 cm lang. Werden sie länger, können sie auf
45 Grund ihres Eigengewichts nicht mehr gera-de in die Höhe wachsen; sie sinken um oder werden von der Wasserströmung abgebogen. Dann können sie ihre Aufgabe, das Abwasser abzuleiten, nicht mehr erfüllen.

50 Aber auch diese kritische Situation, in die die Sozietät durch Vermehrung geraten ist, kann noch überwunden werden: Jetzt bilden sich Ausströmöffnungen, die nicht mehr wie Schornsteine wahllos über den
55 Schwammkörper verteilt sind, sondern sich in Reihen nebeneinander zusammen-schließen und fächerförmig übereinander in die Höhe wachsen. (Abb. 2)

Dieser Zusammenschluß der Röhren zur
60 Entgiftung der Sozietät ermöglicht es, daß die Abwasserleitungen bis zu 10 cm lang werden und auch durch Wasserströmun-gen zunächst nicht umgeworfen werden können.

65 Der Brotkrustenschwamm kann in die-sem Stadium – es ist sein letztes – bis zu 40 cm im Durchmesser heranwachsen. Dar-über hinaus ist aber keine Entwicklung der Sozietät mehr möglich. Bei Stürmen und
70 starken Strömungen findet sie ihren kata-strophalen Untergang.

Nach: Wilhelm Schäfer, *Der kritische Raum: Über den Bevölkerungsdruck bei Tier und Mensch, 1971.*

überwinden mit einer Schwierigkeit fertig werden

die Brotkruste, -n die äußere, harte Schicht eines Brotes

die Sozietät, -en Gemeinschaft, Gruppe aus vielen einzelnen Lebewesen

die Wuchsform, -en Gestalt, zu der etwas herangewachsen ist

der Schwamm, ⸚e *hier:* ein von niederen Tieren im Meerwasser produziertes poröses Gebilde

das Stadium, -ien Zustand, Entwicklungsstufe

die Ausströmöffnung, -en eine Art Loch, aus dem etwas herausfließt

garantieren *hier:* sicherstellen, dafür sorgen, daß ...

das Abwasser, ⸚ verbrauchtes und verschmutztes Wasser

schornsteinartig wie ein Schornstein

die Strömung, en *hier:* flußartige Bewegung des Wassers

der Schornstein, -e Abzugsschacht für Rauch; *hier:* für den Transport des Abwassers

wahllos *hier:* ohne eine bestimmte Ordnung

fächerförmig in der Form eines Fächers (vgl. Abb. 2)

verstehen

Nur ein Teil der folgenden Aussagen zum Text ist richtig. Kreuzen Sie bitte alle richtigen
Aussagen an.

?

1. Der Brotkrustenschwamm ist ein Gebilde,
   a) das aus vielen einzelnen Individuen besteht. ❑
   b) das aus einer Sozietät besteht. ❑
   c) das aus Einzelzellen besteht, die auch allein existieren können. ❑

2. Der Schwamm entwickelt im Lauf seines Lebens verschiedene Wuchsformen,
   a) die sich beliebig entwickeln. ❑
   b) die sich nacheinander entwickeln. ❑
   c) die mit der Vermehrung und Vergrößerung der Sozietät im Zusammenhang
      stehen. ❑

3. In der ersten Entwicklungsstufe bildet der Schwamm
   a) mehrere, über die Kruste verteilte Ausströmöffnungen. ❑
   b) schornsteinähnliche Röhren. ❑
   c) Röhren, die durch Strömungen abgebogen werden. ❑

4. In der zweiten Entwicklungsstufe
   a) genügen die einfachen Ausströmöffnungen nicht mehr, weil sonst die
      Abwässer nicht ausreichend weggespült werden. ❑
   b) wachsen die Ausströmöffnungen etwas erhöht heraus. ❑
   c) bilden sich schornsteinartige Röhren. ❑

5. Wenn der Schwamm weiterwächst,
   a) genügen die bisherigen Ausströmöffnungen nicht mehr. ❑
   b) bildet er schornsteinartige Röhren. ❑
   c) bildet er Röhren, die nicht über 3 cm hinauswachsen. ❑

6. Im letzten Stadium
   a) werden die Schornsteine länger als drei Zentimeter. ❑
   b) bilden sich Abwasserleitungen, die in Reihen zusammenstehen und sich
      dadurch gegenseitig stützen. ❑
   c) kann der Schwamm eine Ausdehnung bis zu 40 cm erreichen. ❑

üben

I   *Setzen Sie das passende Wort mit der richtigen Endung ein.*

Unterscheiden Sie:

einzig – nur einer
einzeln – allein, von anderen getrennt
eigen – jdm. selbst gehörend
einige – ein paar (nur im Pl.)

---

1. Ein _____ Brotkrustenschwamm besteht aus vielen _____ Individuen.

2. Obwohl man die _____ Zellen „Individuen" nennt, können sie außerhalb der Sozietät kein _____ Leben führen,

3. denn jede _____ Ausströmöffnung dient gleichzeitig _____ Zellen zur Entwässerung.

4. Wenn die Ausströmöffnungen über 3 cm lang werden, knicken sie durch ihr _____ Gewicht um.

5. In der letzten Wuchsform schließen sich _____ dieser Abwasserleitungen in Reihen zusammen, um größere Stabilität zu gewinnen.

6. Bei einem weiteren Wachstum der Sozietät kann aber schon ein _____ Sturm ihren katastrophalen Untergang bewirken.

7. Aus der Entwicklung des Brotkrustenschwamms kann man _____ brauchbare Lehren ziehen.

8. _____ Zukunftsforscher prophezeien, daß sich die Industriegesellschaft durch ihren Fortschritt selbst zerstören wird.

9. Der _____ Ausweg, so sagen sie, bestehe in der Rückkehr zu vorindustriellen Lebensformen.

10. Auch wenn es in eng zusammenhängenden Gefügen niemals nur eine _____ Lösung für alle Probleme geben kann,

11. sollte dennoch jeder _____ Bewohner eines Industrielandes durch Sparsamkeit und Bescheidenheit seinen _____ Beitrag zur Verminderung der Schäden leisten.

II *Bilden Sie aus den wenn-Sätzen Bedingungssätze ohne „wenn" und umgekehrt.*

> Wenn sich die einzelnen Individuen vermehren, entstehen verschiedene Wuchsformen der Sozietät.
>
> Vermehren sich die einzelnen Individuen, entstehen verschiedene Wuchsformen der Sozietät.

1. Wenn der Brotkrustenschwamm an einer Unterlage angewachsen ist, beginnt er, sich zu vermehren und auszubreiten.
2. Wenn die Sozietät sich weiter ausbreitet, garantieren die Ausströmöffnungen keine Entgiftung mehr.
3. Wenn die Sozietät über 12 cm hinauswächst, muß sie ihre Ausströmöffnungen verändern.
4. Würde der Brotkrustenschwamm die Ausströmöffnungen nicht erhöhen, würden die Abwässer auf die Sozietät zurückfallen und sie vergiften.
5. Werden die schornsteinartigen Röhren jedoch länger als 3 cm, können sie nicht mehr gerade in die Höhe wachsen.
6. Wenn das Wasser stärker bewegt ist, sinken die zu langen Röhren um.
7. Werden die Röhren umgebogen oder sinken sie um, können sie ihre Aufgabe nicht mehr erfüllen.
8. Werden die Schornsteine jedoch in Reihen nebeneinandergelegt, so daß sie sich gegenseitig stützen, können sie bis zu 10 cm lang werden.
9. Wächst der Schwamm über eine bestimmte Größe hinaus, wird er bei Stürmen oder starken Strömungen irgendwann weggerissen und findet so seinen Untergang.

diskutieren

1. Es liegt nahe, die Entwicklung des Brotkrustenschwamms mit dem Wachsen der Industriestädte während der letzten hundert Jahre zu vergleichen. Versuchen Sie diesen Vergleich (am besten schematisch) zu skizzieren: Welche Wuchsformen und Entwicklungsstufen des Schwamms entsprechen den verschiedenen Ausformungen und Stadien der Industriestädte? (Sie können Ihren Vergleich durch das Wachsen der Schornsteine veranschaulichen).
2. Im Brotkrustenschwamm haben sich viele Einzelzellen zu einer Sozietät zusammengeschlossen. Kann man *Sozietät* im gleichen Sinn auch auf die Bevölkerung einer Industriestadt anwenden? Worin bestehen die Gemeinsamkeiten, wo sehen Sie Unterschiede?
3. Wenn der Brotkrustenschwamm seine letzte Wuchsform erreicht hat, gibt es für ihn keine Lebenschance mehr. Gilt diese Regel aus der Tierwelt zwangsläufig auch für die menschliche Gesellschaft? Begründen Sie Ihre Ansichten ausführlich.

Energie aus Müllhalden

Die Anwohner im Süden des Berliner Bezirks Wannsee verbanden jahrelang mit Ostwind nichts Gutes. Mit der Brise wehte ihnen der Gestank der elf Millionen Tonnen Hausmüll um die Nasen, die abgedeckt auf der nahe gelegenen Deponie verfaulen. Was die Menschen belästigte, die Brandgefahr im Wald erhöhte und eine Bepflan- 5

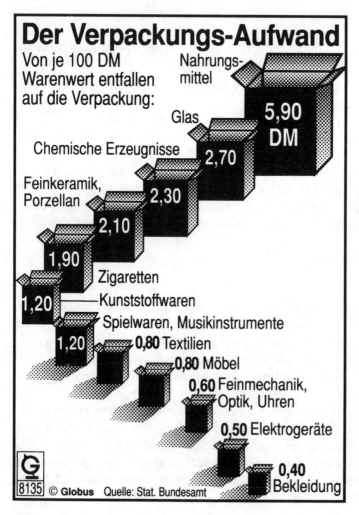

Der Verpackungs-Aufwand

Von je 100 DM Warenwert entfallen auf die Verpackung:

Nahrungsmittel **5,90 DM**

Glas **2,70**

Chemische Erzeugnisse **2,30**

Feinkeramik, Porzellan **2,10**

1,90

Zigaretten

1,20 — Kunststoffwaren

Spielwaren, Musikinstrumente

1,20 **0,80** Textilien

0,80 Möbel

0,60 Feinmechanik, Optik, Uhren

0,50 Elektrogeräte

0,40 Bekleidung

8135 © **Globus** Quelle: Stat. Bundesamt

Die Beseitigung von Müll ist in beinahe allen Ländern, besonders aber in den Industriestaaten, ein Problem geworden. Wie wird in Ihrem Land Müll beseitigt?

Gibt es in Ihrem Land pro Haushalt mehr oder weniger Müll als bei uns? Wie könnte man Ihrer Meinung nach die Menge des Mülls verringern?

Einige Industrieländer haben ihr Müllproblem „gelöst", indem sie den Müll – häufig hochgiftigen Industrieabfall – gegen Bezahlung in wenig entwickelte Länder geschafft haben. Was halten Sie von dieser Methode der Müll-„Entsorgung"?

Welche Folgen haben Mülldeponien unter Umständen
– für die Menschen, die in der Nähe einer Deponie wohnen?
– für das Grundwasser?

Kennen Sie andere Möglichkeiten der Müllentsorgung? Gibt es auch da negative Folgen?

10 zung der stillgelegten Müllhalde unmöglich machte, ist ein alltägliches Produkt der Abfallbeseitigung: Deponiegas.

Mikroorganismen, die den Müll zersetzen, erzeugen bei ihrer Arbeit eine brennbare Mischung aus 55 Prozent Methan, 45 15 Prozent Kohlendioxid und 5 Prozent Stickstoff. Außerdem entsteht eine Vielzahl giftiger chemischer Verbindungen, die mit dem Gas in die Atmosphäre gelangen. Eine gefährliche Menge Umweltgift!

20 Die Anwohner im südlichen Wannsee-Bezirk können seit kurzem beruhigt durchatmen. Mit einer neuartigen Gasreinigungsanlage wird aus dem schädlichen Deponiegas Energie gewonnen.

25 135 Brunnen saugen stündlich 2500 Kubikmeter Gas aus dem Müllberg. Das 25 bis 40 Grad warme Gemisch wird durch 15 Kilometer lange Rohre in eine Verdichterstation gepumpt; dort wird es gekühlt und komprimiert. Mit einem neuartigen 30 Verfahren schließlich filtern die Ingenieure die Schadstoffe heraus und verbrennen das saubere Gas in drei 16-Zylinder-Motoren.

Die Maschinen treiben Generatoren an, die jährlich bis zu 30 Millionen Kilowatt- 35 stunden Strom liefern, der ins öffentliche Stromnetz eingespeist wird. Die Abwärme der Motoren heizt die angrenzenden Wohngebiete. In 15 Jahren wird sich die 22 Millionen teure Anlage allein durch die 40 Einnahmen aus der Stromerzeugung amortisiert haben.

Nach: *Gereinigt*, Deutsches Allgemeines Sonntagsblatt

die Müllhalde, -n Berg aus weggeworfenen Sachen, Müllberg, Abfallberg

die Brise, -n leichter Wind

der Hausmüll Abfall, der zu Hause (im Haushalt) entsteht

die Deponie, -n *hier:* Lagerplatz für Abfall, Müllhalde

verfaulen organische Stoffe zerfallen und beginnen zu stinken

die Abfallbeseitigung *hier:* Abtransport des Mülls auf eine Deponie

der Mikroorganismus, -ismen sehr kleine Lebewesen

zersetzen *hier:* chemisch auflösen

der Brunnen, - *hier:* tief in die Deponie gelegte Rohre

die Verdichterstation, -en Gebäude, in dem das Gas gekühlt und zusammengedrückt (= komprimiert) wird

der Generator, -en Maschine, die aus Bewegung Strom erzeugt

einspeisen (ins öffentliche Netz) elektrischen Strom in die allgemeinen Leitungen „geben"

die Abwärme Wärme, die nach einem technischen Vorgang übrigbleibt und normalerweise nicht genutzt wird

amortisieren eine Geldschuld langsam abbauen (tilgen), d.h., die Anschaffungskosten von etwas werden allmählich durch den Ertrag gedeckt

verstehen

?

Nur ein Teil der folgenden Aussagen zum Text ist richtig. Kreuzen Sie bitte alle richtigen Aussagen an.

1. Deponiegas ist
   a) Gas aus einer Müllhalde.   ❏
   b) Gas, das in Gasbehältern gesammelt wird.   ❏
   c) eine Mischung verschiedener Gase.   ❏

2. Deponiegas kann
   a) eine Geruchsbelästigung darstellen.   ❏
   b) eine Bepflanzung alter Deponien unmöglich machen.   ❏
   c) eine Waldbrandgefahr bedeuten.   ❏

3. Bei der Zersetzung von Müll
   a) entsteht ein unangenehmer Geruch.   ❏
   b) entsteht unter anderem Kohlendioxid.   ❏
   c) entstehen unter anderem gefährliche Stoffe.   ❏

4. Das Gasgemisch
   a) wird an der Oberfläche der Deponiehalde aufgefangen.   ❏
   b) ist, wenn es aufgefangen wird, ziemlich kühl.   ❏
   c) durchläuft eine Filteranlage.   ❏

5. Die Deponiegasmotoren vom Wannsee-Betrieb
   a) können selbst Strom erzeugen.   ❏
   b) vernichten gleichzeitig Schadstoffe.   ❏
   c) erzeugen so viel Wärme, daß damit Wohnungen versorgt werden können.   ❏

6. Der elektrische Strom
   a) wird von 16-Zylinder-Gasmotoren erzeugt, die von Generatoren
      angetrieben werden.   ❏
   b) wird von Generatoren erzeugt, die von 16 Gasmotoren angetrieben werden.   ❏
   c) reicht gerade aus, um ein paar Wohnungen mit Strom zu versorgen.   ❏

7. Die Deponie-Gesellschaft
   a) hat über 20 Millionen Mark zum Aufbau der Anlage ausgegeben.   ❏
   b) glaubt, daß sie in 15 Jahren das Geld durch den Verkauf von Strom und
      Wärme wieder hereinbekommt.   ❏
   c) nimmt an, daß sie schon im ersten Jahr 15 Millionen Einnahmen haben wird.   ❏

üben

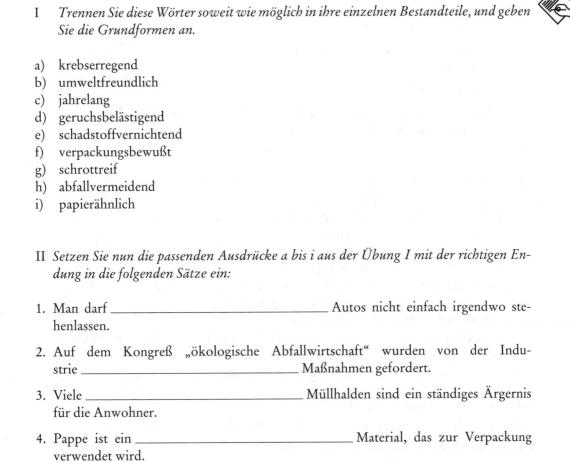

I   *Trennen Sie diese Wörter soweit wie möglich in ihre einzelnen Bestandteile, und geben Sie die Grundformen an.*

a)   krebserregend
b)   umweltfreundlich
c)   jahrelang
d)   geruchsbelästigend
e)   schadstoffvernichtend
f)   verpackungsbewußt
g)   schrottreif
h)   abfallvermeidend
i)   papierähnlich

II   *Setzen Sie nun die passenden Ausdrücke a bis i aus der Übung I mit der richtigen Endung in die folgenden Sätze ein:*

1. Man darf _____ Autos nicht einfach irgendwo stehenlassen.

2. Auf dem Kongreß „ökologische Abfallwirtschaft" wurden von der Industrie _____ Maßnahmen gefordert.

3. Viele _____ Müllhalden sind ein ständiges Ärgernis für die Anwohner.

4. Pappe ist ein _____ Material, das zur Verpackung verwendet wird.

5. Der _____ Käufer verwendet statt Plastiktüten den mitgebrachten Beutel.

6. Alte Müllverbrennungsanlagen erzeugen Abgase, die häufig _____ Giftstoffe enthalten.

7. Die Anwohner im Süden des Bezirks Wannsee litten _____ unter dem Gestank der nahen Müllhalde.

8. Moderne Müllkraftwerke sind umweltfreundlich, denn sie besitzen _____ Reinigungsanlagen.

9. Es müssen noch mehr _____ Müllverwertungsanlagen gebaut werden.

III *Bilden Sie Imperativsätze nach folgendem Muster:*

Verpackungsbewußt kaufen!

    A: Kaufen Sie verpackungsbewußt!
    B: Wie bitte?
    A: Sie sollten verpackungsbewußt kaufen!

    B gibt dann eine beliebige Antwort, z.B.: Ja, ich werde mich bemühen.
    Ja, das tue ich schon lange. Da haben Sie recht! o.ä.

---

1. Darauf achten, wie aufwendig eine Ware verpackt ist!
2. Im Zweifelsfall die einfacher verpackte Ware wählen!
3. Wieder zur Einkaufstasche greifen und auf Plastiktüten verzichten!
4. Die Mehrwegflaschen bevorzugen!
5. Keinen Abfall in die Landschaft werfen!
6. Den Abfall auch nicht in Seen, Bäche oder Flüsse werfen!
7. Den Picknickplatz so sauber verlassen, wie Sie ihn gern vorfinden würden!
8. Das schrottreife Auto nicht irgendwo stehenlassen!
9. Keinesfalls den Müll selbst verbrennen!
10. Mitmachen bei den Sammlungen von „Problemmüll", wie z.B. Altbatterien, Arzneien, Altöl usw.!

Anregungen entnommen aus: *Wir und unsere Umwelt*, Der Bundesminister des Inneren, Bonn 1989.

aufwendig über das Notwendige hinaus

die Mehrwegflasche, -n Flasche, die der Händler zur Wiederverwendung zurücknimmt

der Schrott unbrauchbar gewordene Gegenstände aus Metall

IV *Betrachten Sie die Grafik auf der Seite 44, und bilden Sie Aussagesätze zum Thema.*

Bei einem Warenwert von DM 100 (gesprochen: hundert Demark) entfallen bei Nahrungsmitteln DM 5.90 (gesprochen: fünf Mark neunzig) auf die Verpackung.

Fahren Sie fort.

diskutieren

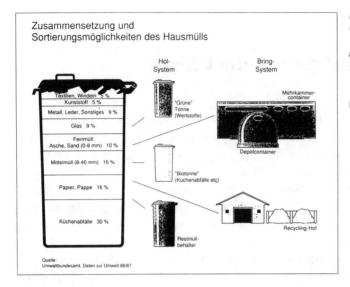

Zusammensetzung und
Sortierungsmöglichkeiten des Hausmülls

Hol-System

Bring-System

Textilien, Windeln 5 %
Kunststoff 5 %
Metall, Leder, Sonstiges 9 %
Glas 9 %
Feinmüll:
Asche, Sand (0-8 mm) 10 %
Mittelmüll (8-40 mm) 16 %
Papier, Pappe 16 %
Küchenabfälle 30 %

"Grüne" Tonne (Wertstoffe)

Mehrkammer-container

Depotcontainer

"Biotonne" (Küchenabfälle etç)

Recycling-Hof

Restmüll-behälter

Quelle:
Umweltbundesamt, Daten zur Umwelt 86/87

Betrachten Sie die nebenstehende Grafik.

a) Erklären Sie die verschiedenen Begriffe wie „Hol-" und „Bring-System", „Biotonne" usw. Sprechen Sie dabei in ganzen Sätzen.

b) Werden die Abfälle in dem Ort, in dem Sie jetzt wohnen, auch in drei Tonnen getrennt gesammelt? Halten Sie diese Lösung für sinnvoll und durchführbar? Oder haben Sie andere Vorstellungen?

1. Wählen Sie einen „Journalisten" / eine „Journalistin" und einen „Fachmann" und führen Sie ein Interview durch
   a) über das Müllkraftwerk in Berlin-Wannsee.
   b) über den Verpackungsaufwand (Grafik) und Möglichkeiten seiner Verringerung.
2. Man kritisiert das Verhalten der Menschen in den Industrienationen und spricht in diesem Zusammenhang von der „Wegwerfgesellschaft". Was ist damit gemeint? Ist die Bezeichnung berechtigt? Wie könnte diese Gesellschaft sich ändern?
3. Notieren Sie sich einige wichtige Daten aus dem Text und aus den Grafiken, und halten Sie einen kleinen Vortrag über „das Müllproblem in Deutschland und Versuche seiner Bewältigung".

Mauretaniens Kampf gegen die Wüste

Drei Viertel des jungen westafrikanischen Staates Mauretanien bestehen aus feinem, rötlichem Sand. Der ganze Norden des Territoriums ist schon aufgegeben worden, und auch das letzte Viertel droht zu versanden.

Die Region um die Siedlung Achram, 500 km südöstlich der mauretanischen Hauptstadt Nouakchott, lag noch vor zwei Jahrzehnten im Zentrum eines der besten Weidegebiete. Doch die verheerende Dürre hat tief in die Struktur der Region und in die Lebensweise ihrer Bevölkerung eingegriffen. Sie begann im Jahr 1968 und dauert bis heute. Dabei handelte es sich nicht um einen radikalen Klimawechsel. Vielmehr genügte schon eine leichte Klimaverschiebung in dieser Vegetationszone, die immer zwischen Wüste und Weidegebiet wechselte, um die Grasnarbe in der Trockenheit gänzlich verkümmern zu lassen.

Die Dürre führte schon bald zu einem Exodus der Bevölkerung aus den ländlichen Gebieten. Vor allem die jungen Männer der Nomadenstämme gaben ihre Existenz, die wenigen verbliebenen Herdentiere, auf und zogen in die Slums der Großstädte. Allein in Nouakchott – 1958 als künftige Hauptstadt für 30 000 Einwohner geplant – leben heute etwa 600 000 Menschen, ein Drittel der Gesamtbevölkerung des Landes. Aber auch die in ihrer Heimat gebliebenen Nomaden mußten ihre Lebensweise ändern; sie wurden seßhaft und versuchten als Ackerbauern zu überleben, immer abhängig von den wenigen noch nicht versandeten Brunnenlöchern.

Dem Wassermangel und der Landflucht entgegenzuwirken ist eine der wichtigsten Aufgaben der Regierung; deshalb unterstützt sie ein Entwicklungshilfeprojekt, das im Jahr 1983 um Achram begonnen wurde und beispielhaft für den westafrikanischen Raum werden könnte. Alle Maßnahmen auf dem 2100 Quadratkilometer großen Projektgebiet sollen nach dem Prinzip „Hilfe zur Selbsthilfe" nur mit dem Einverständnis, aber auch mit der Arbeitsleistung der einheimischen Bevölkerung durchgeführt werden. So werden auf der riesigen Fläche drei bis vier Meter hohe Wälle aus Steinen und Zement errichtet, jeweils einige hundert Meter lang. Wenn während der Regenzeit heftige Niederschläge – oft nur wenige Stunden oder Tage – das Land überfluten, verhindern diese Mauern, daß die verbliebene dünne Erdoberschicht weggeschwemmt wird. Sie halten zugleich das kostbare Wasser zurück, das sich in Wadis hinter den Dämmen sammelt, wo es auf diese Weise langsamer versickert. Mehrere hundert Hektar Ackerland und die davon lebenden Familien profitieren jeweils von einem solchen Kleinsystem.

In weniger als sechs Jahren erhöhte sich die Zahl der neugegründeten Dörfer im Projektgebiet von 8 auf 26. Inzwischen fin-

den hier 24 000 Menschen neuen Lebens-
70 raum, ausreichende Nahrung und Arbeit.
Nicht wenige Dörfler kehrten zurück aus
den Großstädten, in die sie noch vor wenigen Jahren geflüchtet waren.

Zwar ist es keine Rückkehr zur einstigen
Existenz ungebundenen Nomadentums, 75
zur Freiheit der Bewegung in den endlosen
Weiten der Sahelzone, aber immer noch ein
würdigeres Leben als im Schmutz der
Slums, wo die Menschen ums Überleben
betteln müssen.   80

Nach: *Vor mehr als zwanzig Jahren begann die Dürre, noch heute hält sie an; Mauretaniens Kampf gegen die Wüste ...,* FAZ

das Territorium, -rien größeres Gebiet

die Region, -en Bezirk, kleineres Gebiet

das Weidegebiet, -e Land, auf dem Tiere pflanzliches Futter finden

verheerend furchtbar

die Dürre, -n große Trockenheit

die Struktur, -en *hier:* Beschaffenheit; Zustand

radikal vollständig, gründlich

die Vegetationszone, -n Wachstumsgebiet

die Grasnarbe, -n niedriges Gras mit seinen Wurzeln

verkümmern *hier:* nicht mehr recht wachsen

der Exodus Auszug, Weggang

die Existenz aufgeben die Arbeitsstelle endgültig verlassen

der Slum, -s Elendsviertel, Stadtrandgebiet der ganz Armen

der Nomade, -n Angehöriger eines Volkes, das mit seinen Herdentieren (z.B. Schafe, Kamele) von
    einem Weidegebiet zum anderen zieht

seßhaft an einem bestimmten Ort ständig wohnend

der Ackerbauer, -n Landmann, der hauptsächlich Feldarbeit betreibt, Getreide usw. anbaut

das Brunnenloch, ̈er Vertiefung (Schacht) in der Erde, aus der man Wasser holen kann

das Projekt, -e Plan, Vorhaben

einheimisch am heimatlichen Ort wohnend

der Wall, ̈e langgestreckte, mauerartige Erhöhung aus Erde, Steinen o. dgl.

wegschwemmen durch Wasser fortbewegen

das Wadi, -s meist trockenes Flußbett in Wüstengebieten

versickern langsam in der Erde verschwinden

die Sahelzone Gebiet am Sahara-Südrand vom Antlantik bis zum Roten Meer

verstehen

?

Antworten Sie mit Ihren eigenen Worten.

1. Welche Informationen über Klima und Bodenbeschaffenheit in der Region um Achram werden für die Zeit vor bzw. nach 1968 gegeben?

2. Welche Alternativen ergaben sich für die Bevölkerung der Region um Achram infolge der seit 1968 herrschenden Dürre?

3. Wie müssen wir uns das Entwicklungshilfeprojekt, das 1983 begonnen wurde, vorstellen? (Fertigen Sie ggf. eine Skizze an.)

4. Welche positiven bzw. negativen Folgen hat das Projekt um Achram für die Bevölkerung der Region?

5. Finden Sie für jeden Abschnitt des Textes eine Überschrift, die den Inhalt jeweils zusammenfaßt.

üben

I *Erklären Sie die folgenden Wörter aufgrund des Kontextes:*

1. etwas droht zu versanden (Z. 5)   2. die Siedlung (Z. 7)   3. das Zentrum (Z. 10)
4. eingreifen (Z. 13)   5. der Klimawechsel / die Klimaverschiebung (Z. 16/17)   6. das Weidegebiet (Z. 19)   7. die Nomadenstämme (Pl.) (Z. 25)   8. die Brunnenlöcher (Pl.) (Z. 37)   9. die Landflucht (Z. 39)   10. überfluten (Z. 57)   11. profitieren (Z. 64)

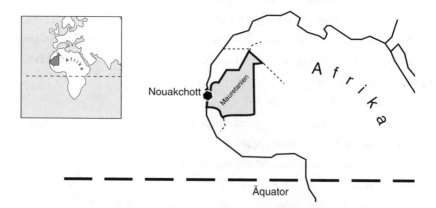

II *Finden Sie Synonyme, und setzen Sie diese in den Text ein. Dabei müssen die Sätze*
    manchmal etwas verändert werden. Entscheiden Sie selbst, ob Sie ein Synonymwörter-
    buch zu Hilfe nehmen.

a) das Zentrum (Z. 10)   b) beginnen (Z. 14)   c) abhängig sein von (Z. 36)   d) entge-
genwirken (Z. 40)   e) das Einverständnis (Z. 48)   f) errichten (Z. 53)   g) heftig (Z. 55)
h) überfluten (Z. 57)   i) kostbar (Z. 60)   j) ausreichend (Z. 70)   k) flüchten (Z. 73)
l) ungebunden (Z. 75)

III *Setzen Sie die fehlenden Präpositionen ein.*

1. Drei Viertel von Mauretanien bestehen _____ feinem Sand. (Z. 2)

2. Es handelt sich nicht _____ einen radikalen Klimawechsel. (Z. 15)

3. Die Dürre führte schon bald _____ einem Exodus der Bevölkerung. (Z. 22)

4. Die seßhaft gewordenen Nomaden waren immer abhängig _____ den wenigen
   Brunnenlöchern. (Z. 36)

5. Ein Entwicklungsprojekt, das beispielhaft _____ den westafrikanischen Raum
   werden könnte. (Z. 44)

6. Alle Maßnahmen sollen _____ dem Prinzip „Hilfe zur Selbsthilfe" durchgeführt
   werden. (Z. 47)

7. Das kostbare Wasser, das hinter dem Damm aufgehalten wird, versickert _____
   diese Weise langsamer. (Z. 62)

8. Mehrere hundert Hektar Ackerland und die davon lebenden Familien profitieren
   _____ einem solchen Kleinsystem. (Z. 65)

9. In sechs Jahren erhöhte sich die Zahl der Dörfer _____ 8 _____ 26. (Z. 68)

10. Das ist aber keine Rückkehr _____ der einstigen Existenz ungebundenen Noma-
    dentums. (Z. 74)

IV *Bilden Sie aus den schräg gedruckten Wendungen Nebensätze mit den Konjunktionen*
    „als", „bevor", „nachdem", „seitdem" oder „wenn".

Vor der Austrocknung der Region um Achram war dort eines der besten Weidegebiete.

Bevor die Region um Achram austrocknete, war dort eines der besten Weidegebiete.

---

1. Schon immer mußten sich die Nomaden *bei Klimaveränderungen* den neuen Bedingungen anpassen.
2. *Seit der Versandung der Weidegebiete in der Gegend von Achram* verließen immer mehr junge Männer ihre Heimat.
3. *Nach dem Verkauf ihrer letzten Herdentiere* zogen sie in die Großstädte und endeten meist in den Slums.
4. Die Ackerbauern können nur *bei genügend Wasser in den Brunnen* überleben.
5. *Angesichts der immer stärker werdenden Landflucht* entschloß sich die Regierung, ein Entwicklungshilfeprojekt zu unterstützen. (Nachdem ...)
6. *Seit dem Beginn des Projekts im Jahr 1983* interessieren sich auch andere afrikanische Staaten dafür.
7. Die Arbeiten an dem Projekt wurden *erst nach Zustimmung der einheimischen Bevölkerung begonnen.* (Erst nachdem ...)
8. *Beim Bau der schützenden Mauern* halfen die meisten Dorfbewohner mit. (Als ...)
9. *Vor der Errichtung der Steinwälle* wurde die dünne Erdoberschicht oft weggeschwemmt.
10. *Bei einem raschen Abfluß des Wassers* kann nicht genug Feuchtigkeit in der Erde versickern.
11. *Nach der Verbesserung der Lebensumstände* kehrten viele Menschen in ihre Heimat zurück.
12. *Bei ihrer Rückkehr in ihre Heimat* fanden sie dort vieles verändert, aber es gab auch manche Erleichterung.

diskutieren

1. Wenn sich in einer bestimmten Region aus klimatischen, wirtschaftlichen, ethnischen o.a. Gründen die Lebensweise der alteingesessenen Bevölkerung grundlegend ändert, nennt man das einen Strukturwandel.
   a) Welcher Art war der Strukturwandel in der Region um Achram?
      – Nennen Sie die Gründe und die Auswirkungen.
   b) Berichten Sie über Gründe und Auswirkungen eines Strukturwandels in bestimmten Gebieten Ihres Heimatlandes.
   c) Bitten Sie Ihren Lehrer um Material, und informieren Sie sich über den Strukturwandel z.B.
      – in ehemals blühenden Industriegebieten (Ruhrgebiet, Elsaß, Oberschlesien o.a.)
      – in ehemals reinen Agrargebieten (Oberbayern, Süditalien o.a.)
      – in ehemals von einer einheitlichen Bevölkerung bewohnten Stadtvierteln (das Frankfurter Westend, der Berliner Bezirk Kreuzberg o.a.)

2. Wenn in einem bestimmten Gebiet ein Strukturwandel stattfindet, gerät die alteingesessene Bevölkerung meistens in eine Krise. Im positiven Fall reagieren die Menschen, indem sie sich anpassen, im negativen Fall mit Aggressionen.

Einigen Sie sich auf ein bestimmtes, vorher besprochenes Beispiel eines Strukturwandels (s. Aufgabe 1), und spielen Sie dann eine Szene auf einem Dorfplatz, in einer Kneipe, in einer Familie o.ä. – Daraus könnte ein Theaterstück werden!

Neem – ein neuer „Wunderbaum"?

Der Neem-Baum ist ursprünglich in den Trockensavannen Indiens zu Hause. Schlank ragt er mit einer luftigen Krone bis in Höhen von 15 Metern und ist – bis auf
5 Zeiten extremer Trockenheit – immer grün. Wenn die Sprache auf diesen lange Zeit wenig beachteten Baum kommt, können sich auch nüchterne Entwicklungsexperten begeistern. Scheinbar unendlich
10 klingt die Liste der Möglichkeiten, den Neem-Baum zum Wohl der Menschen in der dritten Welt einzusetzen. Ist er vielleicht der seit langem gesuchte „Wunderbaum" gegen die Leiden des Südens? Der
15 Neem gilt als extrem genügsam; er gedeiht auf trockenen, humusarmen Lehm- und Sandböden, denn seine Wurzeln reichen bis zu 15 Meter tief in die Erde. So versorgt sich der Baum aus der Tiefe mit Nährstof-
20 fen und tritt nicht in Konkurrenz zu benachbarten Pflanzen. Diese Eigenschaft macht ihn zum willkommenen Schatten- und Schutzbaum für Ackerfrüchte. Schnell wachsend eignet er sich zur Wiederauffor-
25 stung versteppter und ausgelaugter Böden und liefert in kurzer Zeit Bau- und Brennholz: eine wichtige Nutzungsmöglichkeit, denn für immer mehr Menschen in der Dritten Welt werden der Mangel an Holz und die Erosion zu einem existenziellen 30 Problem.

Gleich bedeutungsvoll könnten die Eigenschaften der ein bis zwei Zentimeter großen Früchte des Neem-Baumes werden. Mit geringem technischen Aufwand 35 läßt sich aus ihnen ein hochwirksames Pflanzenschutz- und Schädlingsbekämpfungsmittel gewinnen, das dennoch umweltschonend wirkt. Gegen eine Unzahl Insekten, Pilze, auch gegen Wanderheu- 40 schrecken und zahlreiche andere Schädlinge könnte dieses „Naturpestizid" eingesetzt werden, wodurch verheerende Ernteausfälle und Lagerverluste verringert würden. Der Extrakt aus den Neem-Früchten 45 setzt das Wachstumshormon der Schädlinge außer Kraft, so daß diese schließlich verenden. Für Säugetiere und Menschen ist dieses „Gift" dagegen völlig unschädlich. Angesichts der Unmengen chemischer Pe- 50 stizide, die heute in den Entwicklungsländern verwendet werden und unzähligen Landarbeitern den Tod bringen, wäre der Ersatz durch den unbedenklichen Neem-Wirkstoff ein wahrer Segen für die zahlrei- 55 chen Kleinbauern des Südens.

Aber damit nicht genug: Das Öl der Früchte des Neem-Baumes hat antiseptische Wirkung. Deshalb werden in Indien und neuerdings auch bei uns Seife, Haar- und Körperpflegemittel daraus hergestellt. In manchen Regionen der Dritten Welt werden Öl, Blätter und Rinde des Neem zu Medikamenten gegen Malaria, Geschwüre, Hautkrankheiten usw. verarbeitet; man berichtet sogar von einer empfängnisverhütenden Wirkung der Neem-Medikamente.

Zugleich aber warnen Entwicklungsexperten davor, von dem Neem-Baum „die Lösung" der zahllosen Probleme der Dritten Welt zu erwarten. Schon oft sind Hoffnungen bei der Anpflanzung von „Wunderbäumen" enttäuscht worden. Sobald sie massenweise in ein fremdes Ökosystem verpflanzt werden, in dem sie ursprünglich nicht zu Hause waren, zeigen sie schon nach wenigen Jahren auch ungünstige Eigenschaften. Bevor also der Neem-Baum in großem Umfang genutzt werden kann, sind zahlreiche wissenschaftliche Forschungen und praktische Versuche nötig.

Nach: *Materialien zur Welternährungslage: Umwelt und Entwicklung*, Deutsche Welthungerhilfe, April 1988.

die Trockensavanne, -n Gebiet mit 5 bis 7 trockenen Monaten, in dem 1 bis 2 m hohes Gras wächst

die Krone, -n *hier:* oberster Teil des Baumes

genügsam bescheiden

gedeihen (gut) wachsen

humusarm arm an natürlichen Nährstoffen

der Lehm gelblichbraune Erde

die Konkurrenz Wettstreit, Wettbewerb

die Wiederaufforstung, -en neue Anpflanzung von Bäumen in einem ehemaligen Waldgebiet

versteppt zur öden, baumlosen Landschaft geworden

ausgelaugt *hier:* durch Regen ausgewaschener, nährstoffarmer Boden

die Erosion Zerstörungsarbeit von Wasser und Wind auf der Erdoberfläche

existentiell die Existenz, das Leben betreffend

der Aufwand *hier:* Geräte und Kosten

der Schädling, -e *hier:* die Nutzpflanzen schädigende Tiere oder Pflanzen

umweltschonend die Umwelt nicht schädigend

die Wanderheuschrecke, -n Insekt, das manchmal in riesigen Mengen heranfliegt und in kürzester Zeit alles Grün vernichtet

der Extrakt, -e *hier:* ausgedrückter Saft

außer Kraft setzen wirkungslos machen

verenden sterben (bei Tieren!)

das Pestizid, -e chemisches Mittel zur Vernichtung von Schädlingen

unbedenklich *hier:* ungefährlich

antiseptisch Krankheitserreger abtötend

die Rinde, -n äußere Schicht von Baumstämmen

empfängnisverhütend die Befruchtung der Eizelle (*hier:* bei der Frau) verhindernd

das Ökosystem, -e natürliche Einheit von Pflanzen und Tieren innerhalb einer typischen Landschaft

verstehen

Bereiten Sie selbst Fragen zum Text vor. Benutzen Sie dabei möglichst nicht das Vokabular des Textes. Bilden Sie dann zwei Gruppen: Gruppe A fragt Gruppe B und umgekehrt. Mit einer Punkteverteilung für jede richtige Frage und jede treffende Antwort (ohne Benutzung der Vorlage!) läßt sich ein spannendes Quiz daraus machen.

?

> Woher stammt der „Wunderbaum"? – Er kommt aus den Trockensavannen Indiens.

Fahren Sie fort.

üben

I   *Führen Sie in einer Liste alle angegebenen Nutzungsmöglichkeiten des Neem-Baumes auf. Bilden Sie dann Sätze, in denen Sie die folgenden Verben verwenden können:*

etwas aus etwas herstellen / produzieren / etwas verwenden als / etwas zur Herstellung von etwas benutzen / etwas verarbeiten zu / etwas gebrauchen als

II   *-lich, -isch oder -ig?*

ursprüng-, luft-, wen-, unend-, wicht-, techn-, schließ-, völl-, chem-, unbedenk-, antisept-, ungünst-, wissenschaft-, prakt-

III *Üben Sie wie in folgendem Beispiel:*

---

der Neem – ein genügsamer Baum (die Erde)

> A: Ist der Neem ein genügsamer Baum ?
> B: Ja.
> A: Ist er der genügsamste Baum der Erde?
> B: Das weiß ich nicht, aber er ist sicher einer der genügsamsten Bäume der Erde.

Merke: einer, eine, eines + Genitiv Plural

1. die Sahara – ein trockenes Gebiet (die Erde)   2. der Sahel – eine arme Zone (Afrika)
3. der Neem – ein interessantes Objekt (die Entwicklungshilfe)   4. der Extrakt aus den
Früchten – ein wirkungsvolles Schädlingsbekämpfungsmittel   5. das Öl, die Blätter und
die Rinde – die Ausgangsstoffe für ein vielseitiges Heilmittel (die Natur)   6. das Öl der
Früchte – ein beliebtes Körperpflegemittel (in Indien)   7. die Wanderheuschrecke – ein
gefährlicher Schädling (in Afrika)

IV *Üben Sie wie in folgendem Beispiel:*

Vom Neem, einem der genügsamsten Bäume der Erde, verspricht man sich wahre
Wunder.

Merke: Die nachgestellte Apposition (einem der genügsamsten Bäume) steht im gleichen
Fall wie das Beziehungswort (Neem).

Beginnen Sie die Sätze folgendermaßen, und ergänzen Sie sie selbständig:

1. In der Sahara, ...   2. Im Sahel, ...   3. Mit dem Neem,...   4. Von dem Extrakt der
Früchte, ...   5. Von dem Öl, den Blättern und der Rinde des Neem, ...   6. Von dem Öl
der Früchte, ...   7. Über die Wanderheuschrecke, ...

diskutieren

1. Durch die Zerstörung der natürlichen Pflanzendecke durch den Menschen *erodieren*
   immer größere Flächen unserer Erde.
   Sammeln Sie – eventuell mit Hilfe Ihres Lehrers – Material und Informationen über den
   zunehmenden Prozeß der *Erosion*.

Zum Beispiel über
- die Abholzung der Regenwälder
- die Urbarmachung von Steppen, Tundren, Savannen
- die Zerstörung der empfindlichen Grasnarbe an Gebirgshängen durch Skipisten
  usw.

2. Der Autor warnt dringend davor, den Neem-Baum unkontrolliert in einer ihm fremden Umgebung anzupflanzen; er könnte eines Tages zu einem *grünen Umweltmonster*
   werden.
   a) Versuchen Sie, die Warnung des Autors genauer zu erklären.
   b) Kennen Sie entsprechende Beispiele von Pflanzen oder Tieren, die sich in einer
      neuen Umgebung zur Plage entwickelt haben, wie unter anderem die Kaninchen in
      Australien? Berichten Sie darüber.

Schema zur Erosion

Der Regen fällt hart auf den kahlen Boden. Das Wasser fließt rasch ab
und reißt die Erde mit sich. Im Tal entstehen Überschwemmungen,
da die Flüsse verschlammen. Viel weniger Wasser sickert in den Boden. Der Grundwasserspiegel sinkt, die Quellen versiegen.

Der kahle Boden trocknet aus. Der Wind trägt die lockere Erde weg.
Staubstürme entstehen.

Der Regen fällt auf unzählige Blätter, wird von unzähligen Wurzeln
festgehalten. Das Wasser sickert langsam in die Erde; es bildet
Grundwasser, das durch Quellen wieder an die Erdoberfläche tritt.

Das Regenwasser verdunstet von unzähligen Blättern. Es bilden sich Wolken. Der Boden bleibt feucht.

Wasserschildkröten oder Tourismus?

Umweltschützer wollen den Strand der griechischen Insel Zakynthos sperren lassen.

„Wenn diese Naturschützer nicht aufhören, uns hier zu bedrängen, dann gibt es bald keine Schildkröten mehr", schimpft ein Hotelbesitzer auf der Insel Zakynthos im Ioni-
5 schen Meer, „die werden dann einfach umgebracht, und das Problem ist erledigt." Der Mann ist zornig auf die Biologen, Ökologen und Umweltschützer, die sich hier zum ersten internationalen Umweltschutzkongreß
10 Griechenlands getroffen haben. Ihre Forderung: Die vom Aussterben bedrohte Wasserschildkröte* muß gerettet werden; der neun Kilometer lange Sandstrand im

Südosten der Insel ist für Touristen zu sperren.   15

In der Bucht von Laganas machen täglich 8 000 Skandinavier, Engländer und Deutsche Ferien am Strand. Die Bucht ist aber auch das wichtigste Laichgebiet der Wasserschildkröte. 500 dieser Tiere, die bis zu 1,20 20 Meter groß und 100 Kilogramm schwer werden, schwimmen Tausende von Kilometern hierher, um zwischen Juni und September Nachkommen zu zeugen. Die Reptilien aus der Zeit der Dinosaurier laichen 25 nur dort, wo sie selbst geschlüpft sind.

Schildkröten von Zakynthos wurden schon an der Küste von Tunesien gesichtet. Wo immer sie sind – zur Eiablage, so schreibt es ihre „innere Uhr" vor, müssen sie zu der Insel zurück.

Gegen Mitternacht kriechen die Schildkröten dann langsam aus dem Wasser. Wo der Sand locker, trocken und warm ist, graben sie mit ihren Hinterbeinen Nester und legen durchschnittlich 110 weiße Eier ab, groß wie Tischtennisbälle. Sorgfältig wird das Nest zugeschaufelt und vorsichtig der Rückweg ins Meer angetreten. Zwei Stunden benötigen die Schildkröten für diesen Vorgang. Nach acht Wochen öffnen sich die Eier, fünf Zentimeter große Wasserschildkröten beginnen den Wettlauf ins schützende Wasser. Nur zwei von all den Jungen, die eine Wasserschildkröte während ihres Lebens im Sand ausbrüten läßt, werden so alt, daß sie selbst wieder Eier legen.

Seit sich vor zehn Jahren in Zakynthos der Tourismus zu entwickeln begann, wird das Brutgeschäft für die Schildkröten immer schwieriger. Die laute Musik von Tavernen und Diskotheken erschreckt die Tiere. Die Lichter am Strand irritieren die frisch geschlüpften Schildkröten. Sie folgen der Helligkeit, finden den Weg ins Meer nicht und trocknen aus, sobald die Sonne aufgeht. Die Spuren von Autos und Motorrädern im weichen Sand werden für die kleinen Tiere zu unüberwindlichen Hindernissen.

Zwar wurde die Bucht von Laganas im Jahre 1984 bis auf etwa zwei Kilometer unter Naturschutz gestellt, aber Absperrungen, welche die Touristen vom Strand fernhielten, gibt es nicht, und die Mahnungen der Reiseleiter führen eher noch dazu, daß sich Urlauber nachts – mit Blitzlicht und Taschenlampe ausgerüstet – aufmachen, um die Schildkröten zu fotografieren.

Die Naturschützer versuchen, auf die griechische Regierung einzuwirken, damit das Naturschutzgesetz auch wirklich angewendet wird. Die Anwohner dagegen sehen ihre Lebensgrundlage bedroht. Ein Hotelbesitzer, der zwölf Jahre in Kanada gearbeitet und gespart hat, um sich und seiner Familie auf Zakynthos eine Existenz zu schaffen, sagt: „1979 wurde das Hotel gebaut, 1984 trat das Naturschutzgesetz in Kraft. Seitdem gibt es diese Auflagen: kein Licht auf den Terrassen, keine Musik, die Touristen sollen nicht an den Strand. Die Regierung macht uns nur Schwierigkeiten. Wenn ich mich an die Bestimmungen halte, habe ich bald keine Gäste mehr, und das Hotel ist noch nicht abbezahlt."

Nach: Anke Weig, *Die Schildkrötenbucht für Badende sperren?* FAZ

* Es handelt sich hierbei um eine bestimmte seltene Art.

sperren den Zugang verbieten, durch einen Zaun o. dgl.

jdn. bedrängen *hier:* mit Forderungen belästigen

umbringen töten

der Ökologe, -n Wissenschaftler, der sich mit den Beziehungen der Lebewesen zu ihrer Umwelt beschäftigt

aussterben eine bestimmte Art von Pflanzen oder Tieren verschwindet für immer von der Erde

das Laichgebiet, -e vgl. laichen

zeugen ein Lebewesen entstehen lassen

das Reptil, -ien Kriechtier, z.B. die Eidechse

der Dinosaurier, - ausgestorbene Tierart

laichen Eier legen (bei Fischen oder Amphibien)

schlüpfen *hier:* aus dem Ei herauskriechen

zuschaufeln *hier:* den Sand über das Nest schieben

ausbrüten Eier so lange wärmen, bis Junge herauskommen

die Taverne, -n Wirtshaus

irritieren *hier:* beirren, unsicher machen

unüberwindlich *hier:* nicht übersteigbar

das Hindernis, -se etwas, was das Weiterkommen schwermacht

das Brutgeschäft, -e die Erledigung des Eier-Ausbrütens

sich aufmachen losgehen

die Auflage, -en geforderte Leistung; Vorschrift

die Bestimmung, -en Vorschrift

verstehen

Antworten Sie mit Ihren eigenen Worten.

1. Warum schimpft der Hotelbesitzer von der Insel Zakynthos? Auf wen ist er zornig?
2. Wie möchte er das Problem am liebsten lösen?
3. Was fordern die Umweltschützer für die Bucht von Laganas?
4. Wer macht dort Ferien?
5. Warum kommen die Schildkröten aus Entfernungen von Tausenden von Kilometern zu dieser Bucht? Warum suchen sie sich nicht einen näher gelegenen Laichplatz?
6. Wie verhalten sich die Schildkröten, wenn sie zur Eiablage auf den Strand kriechen?
7. Warum ist es zur Erhaltung der Art notwendig, daß jede Schildkröte bei jeder Eiablage über hundert Eier ablegt?

8. Warum wird für die Schildkröten das Brutgeschäft immer schwieriger?

9. Wie werden die Naturschutzgesetze in der Bucht von Laganas angewendet?

10. Welche Konsequenzen ergeben sich daraus für den Hotelbesitzer?

üben

I   *Erklären Sie aus dem Kontext.*

1. ein internationaler Umweltschutzkongreß (Z. 9)   2. die Bucht (Z. 16)   3. die Skandinavier (Pl.) (Z. 17)   4. der Strand (Z. 18) 5. die Nachkommen (Pl.) (Z. 24) 6. die innere Uhr (Z. 30)   7. die Mahnungen (Pl.) (Z. 66)   8. das Blitzlicht (Z. 68) 9. auf jdn. einwirken (Z. 73)   10. die Lebensgrundlage (Z. 76)   11. eine Existenz schaffen (Z. 79)   12. in Kraft treten (Z. 81)

II   *Ergänzen Sie die Präpositionen (auch „vom", „am", „zur" usw.)*

1. Der Mann ist zornig _____ die Biologen. (Z. 7)

2. Die _____ Aussterben bedrohte Wasserschildkröte muß gerettet werden. (Z. 11)

3. Ein Teil des Strandes ist _____ Touristen zu sperren. (Z. 14)

4. _____ der Bucht von Laganas machen Engländer, Deutsche und Skandinavier Ferien _____ Strand. (Z. 16)

5. Die Tiere, die _____ zu 1,20 Meter groß werden, schwimmen Tausende von Kilometern. (Z. 20)

6. Die Reptilien _____ der Zeit der Dinosaurier laichen nur dort, wo sie selbst geschlüpft sind. (Z. 24)

7. Die Schildkröten wurden schon _____ der Küste _____ Tunesien gesichtet. (Z. 27)

8. _____ Eiablage müssen sie _____ der Insel zurück. (Z. 29)

9. Die Lichter _____ Strand irritieren die Tiere. (Z. 54)

10. _____ Jahre 1984 wurde ein Teil der Bucht _____ Naturschutz gestellt. (Z. 62)

11. Die Naturschützer versuchen, _____ die Regierung einzuwirken. (Z. 72)

12. Wenn ich mich _____ die Bestimmungen halte, habe ich bald keine Gäste mehr. (Z. 86)

III *Ein Rundfunkreporter interviewt die Konfliktparteien. Antworten Sie bitte im Passiv. Beachten Sie die Zeitform.*

A: Stimmt es, daß die Naturschützer Sie sehr bedrängen? (Ja natürlich, wir ...)

B: Ja natürlich, wir werden von den Naturschützern sehr bedrängt.

---

*Wenn im Fragesatz hinter dem Subjekt ein * steht, lassen Sie diesen Satzteil im Passiv einfach weg.*

A: Will die Regierung* die Touristen vom Strand fernhalten? (Ja, die Touristen sollen ...)

B: Ja, die Touristen sollen vom Strand ferngehalten werden.

Merke: Das Wörtchen „man" wird niemals in den Passivsatz herübergenommen.

1. Stimmt es, daß Sie* die Tiere unter Umständen einfach umbringen? (Ja, die Tiere...)
2. Ist es wahr, daß die Tierschützer* die Tiere retten wollen? (Ja, das stimmt, die Tiere sollen ...)
3. Will man den ganzen Sandstrand sperren? (Ja, der Sandstrand soll...)
4. Besuchen viele Ausländer diesen Strand? (Ja, der Strand ...)
5. Stimmt es, daß man Wasserschildkröten von Zakynthos schon an den Küsten von Tunesien gesichtet hat? (Ja, die ...)
6. Ist es erwiesen, daß eine innere Uhr den Schildkröten die Rückkehr zur Eiablage vorschreibt? (Ja, die Rückkehr zur Eiablage ...)
7. Schaufelt die Schildkröte nach der Eiablage das Nest nicht zu? (Doch, ...)
8. Tritt sie* danach den Rückweg ins Meer an? (Ja, danach ...)
9. Wie lange benötigt die Schildkröte* für den ganzen Vorgang? (Zwei Stunden w...)
10. Stimmt es, daß der warme Sand ca. 500 Eier ausbrütet? (Ja, ca. ...)
11. Können Sie sich vorstellen, daß laute Musik die Tiere erschreckt? (Ja, zweifellos w...)
12. Meinen Sie wirklich, daß auch die Lichter am Strand die Tiere irritieren? (Ja, aber ganz bestimmt w...)
13. Ist es wahr, daß die Regierung* 1984 den größten Teil der Bucht von Laganas gesperrt hat? (Ja, tatsächlich ...)
14. Haben die Touristen* diese Absperrung beachtet? (Nein, ...)
15. Stimmt es, daß der Hotelier* das Hotel erst 1979 gebaut hat und daß er* es bis heute noch gar nicht abbezahlt hat? (Ja, tatsächlich ist ...)

diskutieren

1. Versuchen Sie zu erklären, warum die Umweltschützer für die Erhaltung einer bestimmten Wasserschildkrötenart kämpfen.
2. Es gibt eine *rote Liste* der bedrohten Tier- und Pflanzenarten, in die jährlich immer mehr gesetzlich geschützte Arten aufgenommen werden müssen. Wie kommt es dazu? Denken Sie an
   - die Landwirtschaft
   - die Abholzung der Wälder
   - die Ausbreitung der Siedlungsgebiete
   - die Industrialisierung.
   Erklären Sie die Zusammenhänge.
3. Im vorliegenden Text wird ein Konflikt zwischen dem Wunsch der Menschen nach einem besseren Leben und dem Umweltschutz dargestellt. Kennen Sie aus eigener Erfahrung oder vom Hörensagen ähnliche Fälle?
4. Wir würden Sie in dem vorgegebenen Konflikt (Schildkröten oder Tourismus?) oder in einem der erzählten Fälle entscheiden?
   Begründen Sie Ihre Meinung in einem Spiel:
   - ein Vertreter der Einwohner von Zakynthos (Hotelbesitzer)
   - ein Vertreter der Umweltschützer (Biologe)
   - ein Vertreter der griechischen Regierung (Jurist)
   oder ernennen Sie für eigene Fälle die entsprechenden Interessengruppen.
5. Was denken Sie über den Tourismus? – Sollten die reichen Leute mit ihrem Geld nicht besser zu Hause bleiben und das Leben und die Natur anderer Völker nicht stören? – Ist der Tourismus eine andere Form des Kolonialismus?

Wie Tierliebe zur Todesfalle werden kann

Auf den zu Ecuador gehörenden Galapagosinseln im Pazifik leben Schildkröten, Eidechsen und einige Vogelarten, die nur auf diesen Inseln vorkommen und einzig-
5 *artig auf der Welt sind. Deshalb bestehen seit 1959 strenge Naturschutzgesetze. Touristen werden von erfahrenen Führern begleitet.*

Der Autor Michael Blumenthal berichtet einfühlsam und dramatisch von einem Er- 10 *lebnis bei einem Besuch auf den Galapagosinseln. Hier kann leider nur eine Zusammenfassung seines Berichts gegeben werden:*

   Eine Gruppe von Touristen unter der 15 Führung eines ecuadorianischen Naturforschers suchte am Strand nach den Nestern der grünen Wasserschildkröten, einer Art, die ausgewachsen etwa 150 kg schwer werden kann.

20 In der Abenddämmerung warten die gerade aus den Eiern geschlüpften jungen Tiere auf ein bestimmtes Signal: Wenn es dem ersten gelungen ist, im schnellen Lauf über den gefährlichen Strand das Meer zu 25 erreichen, dann – so sagt ihr Instinkt – ist der Weg frei, gibt es keine Gefahr, und alle anderen folgen nach.

Die Touristengruppe sah, wie sich das erste Schildkrötenköpfchen aus einem 30 Nest herauswagte. Aber sofort war auch eine Spottdrossel da, denn es war noch zu früh am Abend, hackte auf den Kopf des Jungen und versuchte, es aus dem Nest zu ziehen. Diesen Anblick konnten die Touristen nicht ertragen; mit viel Geschrei ver- 35 jagten sie trotz der Warnungen des Führers den Vogel, und die kleine Schildkröte gelangte sicher ins Meer.

Das war das Signal zum Aufbruch für alle anderen, aber es war das falsche! Im sel- 40 ben Augenblick verließen Hunderte von winzigen Schildkröten ihre Nester und krochen auf den Sand. In wenigen Minuten war der Himmel schwarz von freßgierigen Vögeln ... 45

Nach: *Mensch denkt – Natur lenkt*, DIE ZEIT

die Todesfalle, -n *hier:* Todesursache

die Eidechse, -n kleines, flinkes, eierlegendes Kriechtier

einfühlsam *hier:* sich gut in die Probleme hineinversetzend

die Abenddämmerung Zeit zwischen Tag und Nacht

schlüpfen herauskriechen

der Instinkt, -e angeborene Verhaltensweise

die Spottdrossel, -n Singvogel in der Größe einer Amsel

spielen

Dieser Bericht eignet sich für ein *Theaterstück*.
Alle Personen können frei charakterisiert werden, d.h., jeder Schauspieler kann sich seine Rolle selbst ausdenken.
Zur Freude des Publikums ist jede Art aktueller Anspielung erlaubt, so daß die dramatische Handlung durch witzige Bemerkungen o.ä. aufgelockert werden kann.
Ein „Regisseur" sollte die Koordination des Textes übernehmen und das Spiel leiten.
Gespielt wird auf einer leeren Bühne; das Bühnenbild und die Ereignisse sollten allein durch Worte, Gesten und Blicke deutlich gemacht werden.
Die folgenden Regieanweisungen sind zur Anregung gedacht:

1. Der Fremdenführer tritt auf, stellt sich dem Publikum vor und beschreibt die ihn umgebende Landschaft einer Galapagosinsel. (Mit deutlichen Gesten und Schritten sollte die Lage des Strandes und des Meeres, das eventuell imaginär vor der Bühne im Zuschauerraum liegen könnte, festgelegt werden. An diese Raumvorstellung müßten sich alle Spieler halten.) – Danach tritt der Fremdenführer zurück ins Spiel.
2. Die Touristen treten nacheinander auf und unterhalten sich. (Jeder Tourist sollte jetzt schon nach Herkunft, Beruf, Eigenart o.ä. charakterisiert werden.)
3. Der Fremdenführer sammelt die Touristen um sich und erklärt – eventuell von Fragen unterbrochen – das instinktive Verhalten der neugeschlüpften Schildkröten bei ihrem gefährlichen Lauf über den Strand zum Meer.
4. Die Touristen entdecken das erste Schildkrötenköpfchen, weisen darauf hin, zeigen es sich gegenseitig ...
5. Der Fremdenführer weist auf den Stand der Sonne; es ist noch zu früh am Abend ...
6. Die Touristen beobachten mit Ausrufen, Gesten und Blicken, wie sich eine Spottdrossel nähert und auf die kleine Schildkröte einzuhacken beginnt. (Die Touristen zeigen Abscheu und Mitleid.)
7. Der Fremdenführer warnt dringender.
8. Die Touristen lassen sich nicht zurückhalten und verscheuchen den Vogel.
9. Die Touristen verfolgen mit freudigen Ausrufen, Blicken und Gesten den Lauf der ersten kleinen Schildkröte über den Strand zum Meer.
10. Der Fremdenführer schlägt die Hände vor das Gesicht; er ahnt das kommende Unheil.
11. Die Touristen sehen plötzlich, daß immer mehr junge Schildkröten ihr Nest verlassen und zum Meer krabbeln. Die Touristen erschrecken, springen zur Seite, schreien durcheinander ...
12. Alle verfolgen mit Gesten, Blicken und Ausrufen des Entsetzens die hungrigen Raubvögel am Himmel und die nachfolgende Katastrophe. Die Touristen sind starr, voller Schuldgefühle.

Die Grameen-Bank in Bangladesh

Bangladesh erhält in jedem Jahr, seit 1971, beinahe zwei Milliarden Dollar Entwicklungshilfe. Kein geringer Betrag, dennoch hat sich die Situation der Armen ver-
5 schlechtert, leben 80 Prozent der 100 Millionen Einwohner inzwischen unter der Armutsgrenze. Auf dem Land „leben die Menschen wie Tiere", sagt Mohammad Yunus, ein Professor für Wirtschaftswis-
10 senschaften. Die Hungersnot 1974 erschütterte ihn tief. In seinen Lehrbüchern fand er keine Erklärung dafür, warum die Menschen hungern, warum sie in den Straßen Dhakas sogar starben, obwohl genug Reis
15 in den Lagerhäusern war. Da hängte Yunus den Professorenrock an den Nagel und sah sich in den Dörfern seiner Heimat um.

Mehr als 50 Prozent der Bevölkerung sind landlose Arbeiter, und ihre Zahl
20 nimmt ebenso zu wie die allgemeine Verarmung. „Sie leben aber nicht mit voller Stärke, die Gesellschaft verweigert ihnen die Nutzung ihrer Kapazitäten", sagt Professor Yunus. „Sie arbeiten für die tägliche
25 Portion Reis, mehr bleibt ihnen nicht."

100 000 Rikschafahrer strampeln allein in der Hauptstadt Dhaka. Aber zu einem eigenen Fahrzeug werden sie es auch am Ende ihrer harten Berufsjahre nicht gebracht
30 haben; 95 Prozent der Rikschas gehören wohlhabenden Leuten, die sie vermieten. Ein großer Teil der Ernte wird mit der Hand gedroschen, von Frauen und Witwen, die für die Arbeit von Sonnenaufgang

bis Sonnenuntergang ein Pfund Reis be- 35 kommen. Wenn der reiche Mann großzügig ist, gibt er noch ein Mittagessen aus Reisüberresten.

Mit dem Flechten von Bambusstühlen verdienen die armen Frauen im Dorf 50 40 Paisa am Tag, das sind ungefähr fünf Pfennige. Der Händler bringt das Rohmaterial am Morgen und holt die Fertigprodukte am Abend ab. Er bestimmt den Preis.

Das größte Problem der Armen sei, daß 45 sie nie in die Lage kämen, selbst Kapital zu bilden, urteilt Professor Yunus. Er sprach mit Banken. Dort lachte man ihn aus: Arme seien faul, sie hätten vor allem keine Sicherheiten, hieß es. Da griff Yunus zuerst ein- 50 mal in die eigene Tasche. Einer Drescherin lieh er 500 Taka, rund 50 Mark, damit sie das Getreide auf dem Markt kaufen und den Reis hinterher selbst verkaufen konnte. Sie erzielte eine Einkommenssteigerung 55 von 500 Prozent und besitzt heute eine eigene Hütte. So können in einem armen Land 50 Mark ein Leben verändern.

42 Bambusflechterinnen in einem Dorf brauchten nur 850 Taka, etwa 85 Mark, um 60 selbständig zu werden und Kapital zu bilden. Ein Rikschafahrer wird mit 400 Mark Eigentümer seines Fahrzeugs und so weiter.

1976 gründete Professor Yunus die Gra- 65 meen-Bank, die Geld ohne Sicherheiten ausleiht; umgerechnet drei Mark ist der niedrigste, 500 Mark der höchste Betrag.

Zur großen Überraschung der Skeptiker werden 98 Prozent aller Kredite zurückgezahlt, bei den anderen Banken waren es im Durchschnitt der letzten zehn Jahre nur zehn Prozent. Sie bekommen Mittel von der Weltbank und der asiatischen Entwicklungsbank, Grameen dagegen refinanziert sich ausschließlich aus Landesmitteln.

Ein Rikschafahrer sitzt im Aufsichtsrat. Er ist einer von mehr als 150 000 Kunden, die Kredite für rund 40 Millionen Mark aufgenommen haben. Sie dreschen und schälen Reis, fahren eine Rikscha, handeln mit landwirtschaftlichen Erzeugnissen, machen Puffreis, Getränke oder Kleider, Besen und Möbel, sie reparieren Fahrräder, Schirme oder Uhren. Die Liste der Kleingewerbetreibenden ist lang. Noch vor Monaten waren sie hungrige Tagelöhner. „Wir schaffen Träume und menschliche Würde", sagt Professor Yunus.

Nach: E. Haubold, *Ein Rikschafahrer sitzt im Aufsichtsrat*, FAZ

erschüttern innerlich bewegen; schockieren

den Professorenrock an den Nagel hängen den Beruf als Professor aufgeben

die Kapazität, -en *hier:* Leistungsfähigkeit

die Rikscha eine Art Taxi für zwei Personen, das meist wie ein Fahrrad mit Muskelkraft bewegt wird

strampeln *hier:* in die Pedale treten, Rikscha fahren

wohlhabend reich

dreschen die Körner aus der Frucht (z.B. dem Reis) herausschlagen

flechten aus pflanzlichem Material Hüte, Körbe usw. herstellen

Sicherheiten (Pl.) *hier:* Besitztum von Werten (z.B. Häuser, Grundstücke, Maschinen usw.), auf die die Bank zurückgreifen kann, wenn ein Kredit nicht zurückgezahlt wird

die Drescherin von „dreschen", s.o.

etwas erzielen etwas erreichen

die Hütte, -n kleines, einfaches Haus, meist aus einem Raum bestehend

selbständig unabhängig, freiberuflich

der Skeptiker, - Zweifler, mißtrauischer Mensch

refinanzieren das Geld zum Weitermachen aufbringen

Landesmittel (Pl.) Geld aus dem Land (nicht aus der Entwicklungshilfe)

der Aufsichtsrat, ⁻e Personengruppe zur Beaufsichtigung von bestimmten Geschäftsunternehmen (z.B. einer Aktiengesellschaft)

schälen *hier:* Loslösen der Haut von den Körnern

das Kleingewerbe Gesamtheit der kleinen Geschäfte, die etwas herstellen, reparieren oder verkaufen

der Tagelöhner, - Arbeiter, der nicht fest angestellt ist und täglich bezahlt wird

die menschliche Würde der jedem Menschen eigene innere Wert

verstehen

?

Antworten Sie mit Ihren eigenen Worten.

1. Wie wirkt sich die Entwicklungshilfe in Bangladesh aus?

2. Wieviel Menschen leben dort unter der Armutsgrenze?

3. Warum hängte Professor Yunus seinen Professorenrock an den Nagel?

4. Womit ist die zunehmende Verarmung unmittelbar verbunden?

5. Was denkt Professor Yunus über die Fähigkeit dieser Arbeiter?

6. Wie sieht es mit der Entlohnung der Arbeiter aus?

7. Womit verdienen sich die Frauen im Dorf ihren Lebensunterhalt?

8. Warum können sich die Rikschafahrer kein eigenes Fahrzeug kaufen?

9. Woher haben die Rikschafahrer ihre Fahrzeuge?

10. Warum verlangen die Flechterinnen nicht mehr Geld für ihre Arbeit?

11. Warum erhielt Professor Yunus von den Banken kein Geld?

12. Professor Yunus verlieh schließlich Geld aus der eigenen Tasche. Welche Idee stand dahinter?

13. Welchen Erfolg brachte den Arbeitern das geliehene Geld? Führen Sie Beispiele an.

14. Was tat Professor Yunus nach diesem Anfangserfolg?

15. Was hatten die Skeptiker erwartet? Was geschah in Wirklichkeit?

16. Inwiefern war das Unternehmen des Professors ein Erfolg?

üben

I *Ergänzen Sie die fehlenden Wörter – wenn möglich, ohne im Text nachzusehen.*

1. Zwei Milliarden Dollar Entwicklungshilfe, das ist kein geringer _____ . (Z. 3)

2. Dennoch hat sich die Lage der Armen _____ (Z. 4)

3. Viele leben unter der _____ (Z. 7)

4. Yunus ist Professor _____ Wirtschaftswissenschaften. (Z. 9)

5. Die Hungersnot _____ Yunus tief. (Z. 11)

6. Der Professor _____ sich in den Dörfern seiner Heimat _____ . (Impf.) (Z. 16)

7. Die Gesellschaft _____ den landlosen Arbeitern die Nutzung ihrer Kapazitäten. (Präs.) (Z. 22)

8. Kaum ein Rikschafahrer wird es bis zum Ende seiner Berufsjahre zu einem eigenen Fahrzeug _____ haben. (Z. 29)

9. Die Ernte wird dort meist noch mit der Hand _____ . (Z. 33)

10. Viele Frauen leben vom _____ von Bambusstühlen. (Z. 39)

11. Die Armen kommen nie in die _____ , selbst Kapital zu bilden. (Z. 46)

12. Die Banken gaben den Armen kein Geld, weil diese keine _____ hatten. (Z. 49)

13. Da _____ Yunus erst einmal in die eigene Tasche. (Impf.) (Z. 50)

14. Eine Bäuerin _____ eine Einkommenssteigerung von 500 Prozent. (Impf.) (Z. 55)

15. Heute besitzt sie eine eigene _____ , in der sie wohnt. (Z. 57)

16. Bambusflechterinnen brauchten etwa 850 Taka, um _____ zu werden. (Z. 61)

17. Mit 400 Mark wird ein Rikschafahrer _____ seines Fahrzeugs. (Z. 63)

18. 1976 _____ Professor Yunus die Grameen-Bank. (Impf.) (Z. 65)

19. Daß fast alle Kredite zurückgezahlt wurden, das hatten die _____ nicht erwartet. (Z. 69)

20. Mehr als 150 000 Menschen haben Kredite bei der Grameen-Bank _____ . (Z. 80)

II *Ersetzen Sie die schräg gedruckte Fügung durch ein Modalverb, wie in folgendem Beispiel:*

Es ist notwendig, daß den Armen geholfen wird.

　　Den Armen muß geholfen werden.

---

1. *Es war* Professor Yunus *nicht möglich*, in seinen Lehrbüchern eine Erklärung für die Armut zu finden.
2. Er *hatte die Absicht*, sich in den Dörfern seiner Heimat umzusehen.
3. Die landlosen Arbeiter *sind nicht in der Lage*, ihre Kapazitäten voll zu nutzen.
4. Sie *sind gezwungen*, für eine Handvoll Reis den ganzen Tag zu arbeiten.
5. Die Rikschafahrer *haben nicht die Möglichkeit*, ein eigenes Fahrzeug zu erwerben.
6. Weil die Flechterinnen kein Geld für das Rohmaterial haben, *sind sie darauf angewiesen*, für einen Hungerlohn für den Händler zu arbeiten.
7. Die Armen *haben keine Chance*, Kapital zu bilden.
8. Die Banken *weigerten sich*, den Armen Kredite auszuzahlen.
9. Mit Hilfe kleiner Kredite *haben* viele Arbeiter *die Möglichkeit*, Eigentum zu erwerben.
10. Die Skeptiker *waren nicht bereit* zu glauben, daß Yunus sein ausgeliehenes Geld zurückerhalten würde.

III *Setzen Sie nun die umgeformten Sätze ins Perfekt.*

Den Armen hat geholfen werden müssen.

---

diskutieren

Wirtschaftswissenschaftler sind der Ansicht, daß die gesunde Wirtschaft eines Landes vor allem auf einem breiten Mittelstand beruhe, d.h. auf einer möglichst großen Zahl von kleinen bis mittleren Betrieben in Handel und Handwerk, in der landwirtschaftlichen und industriellen Produktion und im Dienstleistungsgewerbe (Taxiunternehmen, Reinigungen, Druckereien, Reisebüros usw.).

a) Wie steht es mit dem *Mittelstand* in Ihren Ländern? – Berichten Sie.

b) Warum sind gerade die sogenannten *kleinen Selbständigen* für die Stabilität eines Landes so wichtig?
Warum sind Länder mit einer Mehrzahl von abhängigen Armen und wenigen Großunternehmern im allgemeinen politisch so instabil?
Versuchen Sie die Zusammenhänge sowohl ökonomisch als auch psychologisch zu erklären. Denken Sie dabei an die konkreten Fälle, die im Text genannt sind.

Gedanken eines Entwicklungshelfers

Armutsbekämpfung durch Selbsthilfe? Hilfe zur Selbsthilfe? Nach fast zwei Jahren Projektarbeit im Sahel kommen mir immer mehr Zweifel, ob nachhaltige Lösungen für
5 die Probleme der Entwicklungsländer zu erwarten sind. In all den Jahren der Entwicklungszusammenarbeit wurden wertvolle Erfahrungen gemacht, Teilprobleme gelöst, doch insgesamt zeigt sich nach wie
10 vor ein ernüchterndes Arbeitsergebnis, wenn man Aufwand, Erwartungen und Resultate miteinander vergleicht.

Ich denke immer häufiger darüber nach, ob nicht zwangsläufig die Vorstellungen
15 des (über)entwickelten Westeuropäers dazu führen, die Bedürfnisse der Menschen in unterentwickelten Ländern falsch einzuschätzen. Armut ist ein sehr relativer Begriff. Er eignet sich nur schlecht dazu, Be-
20 dürftigkeit zu definieren. Wer in unseren Augen arm oder ärmer ist, muß sich noch lange nicht selber arm fühlen.

– Wie kommt es, daß gerade die „Ärmsten der Armen" eher bereit sind, das letzte
25 Brot mit dem Gast zu teilen, als diejenigen, die diese „Armut" nicht kennen?
– Wie kommt es, daß man in diesen „ar-

men Ländern" einem Maß an Lebensfreude begegnet, nach dem sich manch ein entwickelter Westeuropäer sehnt? 30
– Warum wurden und werden Entwicklungsländern von uns Rezepte verordnet, die weder ihren tatsächlichen Anforderungen noch ihren tatsächlichen Bedürfnissen entsprechen? 35
– Wie läßt sich ein Konzept vermitteln, wenn in der Sprache der Menschen dort Begriffe wie: „warum – darum – weil" weitgehend unbekannt sind?
– Wie läßt sich planen und organisieren, 40 wenn die Grammatik das Futur nicht kennt und die Menschen nur den Augenblick leben mit dem Fatalismus, daß sich an den Dingen nichts ändern läßt?
– Wie können Projekte gesteuert werden, 45 wenn im Kulturkreis der Zielgruppe jegliche Form von Kritik als Angriff auf die eigene Person verstanden wird?

Lernen müssen auch wir „Entwickelten".

Ich möchte an dieser Stelle mit Nachdruck 50 davor warnen, auf die aufgeworfenen Fragen mit Arroganz zu reagieren (etwa mit: Die werden es ja nie lernen! ...). Zu lernen

haben nämlich auch wir „Entwickelten"
55 noch eine ganze Menge.

Vielleicht werden wir eines Tages etwas
lernen müssen von diesem hochkomplexen
Sozialsystem ohne Rentenkassen, Altersheime, Kindergärten, Sozial- oder Arbeits-
60 ämter. In den meisten Gesellschaften Afrikas sind solche Institutionen überflüssig.

Und stehen wir „Entwickelten" nicht
unseren eigenen Problemen genauso hilf-
und ratlos gegenüber? Kurieren wir nicht
65 auch bei uns – wie in der Entwicklungspo-
litik – zu sehr an den Symptomen herum,
statt die Ursachen zu suchen?

Betrachtet man das Waldsterben hier
und die Ausdehnung der Wüsten dort, den
Pseudokrupp hier und die Säuglingssterb- 70
lichkeit dort, die Überschwemmungskata-
strophen hier und den Wassermangel dort,
die landwirtschaftliche und industrielle
Überproduktion hier und die Unterproduktion dort, dann reduzieren sich die 75
Probleme auf die eine Form: Überentwicklung versus Unterentwicklung.

Nach: Matthias Wollers, *Gedanken eines Erfahrungs-Helfers zur wirksamen Entwicklungshilfe*, DED-Brief 1989.

die Projektarbeit, -en Arbeit an einem bestimmten Vorhaben

der Sahel die oft unter großer Trockenheit leidende Zone südlich der Sahara

nachhaltig sich für längere Zeit stark auswirkend

nach wie vor unverändert

ernüchternd die Begeisterung nehmend; enttäuschend

der Aufwand das, was (an Arbeit/Zeit/Geld) gebraucht (= aufgewendet) wird

zwangsläufig unabänderlich; automatisch

die Vorstellung, -en *hier:* Bild, das sich jd. in seinen Gedanken von etwas/jdm. macht

das Bedürfnis, -se das, was man zum Leben braucht

einschätzen beurteilen

die Bedürftigkeit Mangel; Armut

die Anforderung, -en Anspruch; Forderung

das Konzept, -e Plan; Programm

der Fatalismus Glaube, alles so hinnehmen zu müssen, wie es kommt

die Zielgruppe, -n Gruppe, mit der man arbeiten möchte

mit Nachdruck eindringlich; sehr

die Arroganz Überheblichkeit; „Hochnäsigkeit"

hochkomplex äußerst vielschichtig; vieles umfassend

an einer Sache herumkurieren auf vielerlei Weise versuchen, etwas zu heilen / in Ordnung zu
bringen

das Symptom, -e Anzeichen (z.B. einer Krankheit)

der Pseudokrupp Anfall von Atemnot und schwerem Husten (besonders bei Kleinkindern infolge der Luftverschmutzung auftretend)

reduzieren *hier:* zurückgehen auf

versus *lat.:* gegen

verstehen

?

Antworten Sie mit Ihren eigenen Worten.

1. Wie steht der Autor zu Theorie und Praxis der Entwicklungshilfe? Welche Gedanken bewegen ihn?

2. Worin liegt – nach Meinung des Autors – der Schlüssel zum Mißverständnis zwischen Entwicklungs- und Industrieländern?

3. Wie denkt der Autor über den Begriff der Armut?

4. Welche Feststellung hinsichtlich der Lebensfreude trifft der Autor?

5. Was sagt der Autor über die „Rezepte" der sogenannten entwickelten Länder?

6. Warum lassen sich manche Programme seiner Ansicht nach gar nicht verwirklichen? Er gibt mehrere Gründe hierfür an.

7. Warum sollten die Industrieländer die Probleme der Entwicklungsländer nicht mit Hochmut betrachten?

8. Welche Einrichtungen der „entwickelten Länder" brauchen die meisten Gesellschaften Afrikas nach Meinung des Autors nicht?

9. Der Autor stellt die Probleme der Entwicklungsländer den Schwierigkeiten der Industrieländer gegenüber. Welche sind das? Was will er damit sagen?

üben

I   über-, unter-

---

zuviel Produktion → Überproduktion
zuwenig Produktion- → Unterproduktion

---

1. zuviel Entwicklung 2. zu geringe Entwicklung 3. nicht ausreichende Ernährung 4. zuviel Ernährung 5. zuviel Druck 6. zuwenig Druck 7. zu geringe Forderung 8. zu große Forderung 9. zu geringes Gewicht 10. zuviel Gewicht

---

II   -los

---

ohne Hilfe → hilflos (Achten Sie auf die Kleinschreibung!)

---

1. ohne Rat 2. ohne Arbeit (-s-) 3. ohne Zweifel 4. ohne Phantasie 5. ohne Zwang 6. ohne Mühe 7. ohne Fleisch 8. ohne Geräusch 9. ohne Gefühl 10. ohne Teilnahme (-s-) 11. ohne Maß

III der Hilflose

Aus manchen Adjektiven auf -los lassen sich Substantive bilden; sie behalten immer ihre Adjektivendung.

---

hilflos → der Hilflose, ein Hilfloser, die Hilflosen ...

IV *Ergänzen Sie die Endungen.*

1. Ein Arbeitslos_____ hat es schwer. 2. Dies hier ist ein Heim für Heimatlos_____
3. Der Verein will Rat- und Hilflos_____ helfen. 4. Mit Gefühllos_____ möchte ich nichts zu tun haben. 5. In der Ecke dort sitzen einige Teilnahmslos_____ . 6. Von Phantasielos_____ (Pl.) sollte man keine Lügengeschichten erwarten. 7. Ein Be-

dürfnislos_____ braucht nicht viel zum Leben.   8. Mittellos_____ [1] (Pl.) muß geholfen werden.   9. Trinker sind oft Entwurzelt_____ .   10. Den Rücksichtslos_____ sollte man ihre Grenzen zeigen.

[1] Leute ohne Geld und Vermögen

V   *Ergänzen Sie – dem Text entsprechend – die fehlenden Wörter.*

1. Mir _____ Zweifel, ob man Lösungen für die Probleme der Entwicklungsländer finden kann. (Z. 3)   2. In den Entwicklungsländern wurden wertvolle Erfahrungen _____ . (Z.8)   3. Manche Teilprobleme wurden _____ .(Z. 9)   4. Ich denke _____ nach, ob die Vorstellungen der Westeuropäer nicht _____ führen, die Bedürfnisse der Menschen falsch einzuschätzen. (Z. 13)   5. Die Armen sind eher bereit, das Letzte _____ dem Gast zu teilen. (Z. 25)   6. Häufig wurden den Entwicklungsländern Rezepte _____ , die ihren Anforderungen und Bedürfnissen nicht _____ . (Z. 32)   7. Ich möchte _____ warnen, _____ die aufgeworfenen Fragen mit Arroganz zu reagieren. (Z. 51)   8. Kurieren wir nicht _____ den Symptomen herum? (Z. 66)   9. Die Probleme reduzieren sich _____ eine einfache Form. (Z. 76)

VI   Ein Nebensatz mit *ob* steht für die Ungewißheit der Aussage.

> Sind nachhaltige Lösungen für die Probleme der Entwicklungsländer zu erwarten? (Mir kommen immer mehr Zweifel, ...)
>
> Mir kommen immer mehr Zweifel, ob nachhaltige Lösungen für die Probleme der Entwicklungsländer zu erwarten sind.

1. Führen die Vorstellungen des „entwickelten" Europäers nicht dazu, die Bedürfnisse der Menschen in den unterentwickelten Ländern falsch einzuschätzen? (Ich denke immer häufiger darüber nach, ...)
2. Ist Armut nicht ein sehr relativer Begriff? (Es fragt sich, ...)
3. Ist der Bedürfnislose mit einem hohen Maß an Lebensfreude letztes Endes nicht glücklicher als der anspruchsvolle Westeuropäer mit seinem Streben nach mehr? (Wir müssen uns wirklich fragen, ...)

4. Fühlt sich derjenige, der in unseren Augen arm ist, vielleicht gar nicht arm? (Manchmal kommt mir der Gedanke, ...)

5. Gibt es einen inneren Zusammenhang dafür, daß der Arme eher bereit ist, sein Brot mit dem Gast zu teilen, als der Reiche? (Ich überlege mir, ...)

6. Ist es sinnvoll, den Entwicklungsländern immer wieder Rezepte zu verordnen, die ihren Anforderungen und Bedürfnissen nicht entsprechen? (Ich stelle mir die Frage, ...)

7. Kann man von Menschen, deren Grammatik das Futur nicht kennt, ein Planen für die Zukunft verlangen? (Ich weiß nicht, ...)

8. Können Projekte überhaupt gesteuert werden, wenn jegliche Form von Kritik als Angriff auf die eigene Person verstanden wird? (Mir kommen starke Zweifel, ...)

9. Können wir nicht vielleicht eines Tages von einem Sozialsystem lernen, das keine Rentenkasse, Altersheime, Kindergärten usw. braucht? (Wir sollten den Gedanken prüfen, ...)

10. Stehen wir „Entwickelten" nicht unseren eigenen Problemen genauso hilflos gegenüber? (Der Autor stellt die Frage, ...)

VII Ein Nebensatz mit *daß* steht für die Gewißheit der Aussage.

Sind nachhaltige Lösungen für die Probleme der Entwicklungsländer zu erwarten? (Es wird immer klarer, daß ...nicht ...)

Es wird immer klarer, daß nachhaltige Lösungen für die Probleme der Entwicklungsländer nicht zu erwarten sind.

Üben Sie nun mit den obigen Beispielsätzen. Sie können die „daß"-Sätze folgendermaßen einleiten:

Für mich ist ganz klar, ... Ich glaube wirklich, ... Es ist keine Frage, ... Es steht außer Zweifel, ... Ich kann verstehen, ... Es steht fest, ... Der Gedanke liegt nahe, ... Für den Autor ist klar, ...

Beachten Sie, daß in einigen Sätzen die Negation wegfallen muß, in anderen wird sie nötig. Wie verhält es sich mit dem Wörtchen „vielleicht"?

diskutieren

1. Was wird auf der Zeichnung dargestellt? Wie karikiert der Zeichner die „Theorie", wie die „Praxis"?
   Was will er damit zeigen?
   In welchem Bezug steht diese Darstellung zu den Gedanken des Autors?
2. Der Autor stellt in seinem Text sechs schwerwiegende Fragen. Versuchen Sie darauf Antworten zu geben.
   Was wissen Sie über dieses „hochkomplexe Sozialsystem" in den meisten Gesellschaften Afrikas, das der Autor kritisch unseren Rentenkassen, Altersheimen, Kindergärten, Sozial- und Arbeitsämtern gegenüberstellt?
   Wie kann man sich die Funktion dieses afrikanischen Sozialsystems vorstellen? Tragen Sie möglichst viele Informationen zusammen.
   Wäre ein Vergleich mit verwandtschaftlichen Notgemeinschaften in Kriegszeiten und bei Katastrophenfällen möglich?

Wer soll bestimmen, was produziert wird?

Vor längerer Zeit setzte sich der Verleger der Wochenzeitung DIE ZEIT, *Gerd Bucerius, mit einem, wie er sagte, „brillant formulierten" Artikel von Jörn Kraft auseinander, der kurz zuvor in der gleichen Zeitung erschienen war. Da die Kontroverse bis heute nichts von ihrer Aktualität verloren hat, soll sie hier in verkürzter Form wiedergegeben werden.*

Kraft meint: Unter dem Druck von Überkapazitäten produziert „die Industrie" nicht mehr „Gegenstände des täglichen Bedarfs", sondern „Willkür und Verschwendung". Es gebe 200 Typen von Kugelschreibern, und „auch der komfortabelste von ihnen macht nur Striche auf Papier". Eine neue Seife hat Krafts Zorn erregt: „flüssig; in einer handlichen Weichplastikflasche mit Schraubverschluß, Pumpmechanik, Deckel und Wandhalter, in den Duftnoten Tabac, Apfel und Kamille, Preis um sieben Mark".

„Was soll das?" fragt Kraft. „Gegenstände, die am Ende ihrer technischen Entwicklung angekommen sind, lösen sich von ihren Zwecken ab und werden zum Instrument der Marktvirtuosen" – in der „hohen Schule der Werbung, die den Leuten Unsinn aufschwätzt". Kurzum: Marktwirtschaft und Wettbewerb sind zu gefährlichen Systemen geworden (wenn sie je etwas anderes waren). „Wirtschaftlern ist es gleichgültig, mit welchen Gütern heute oder morgen Umsatz erzielt und Dividenden verdient werden."

Ja, aber was tun? Soll man der Industrie verbieten, verspieltes, überflüssiges, luxuriöses Zeug herzustellen? Keine Gegenstände mehr, die „sich über Zweck und Nutzen hinaus entwickeln"? Schön wär's und so vernünftig, machte man nur noch Dinge, die nötig gebraucht werden. Aber wer bestimmt eigentlich, was dann nur noch gemacht werden darf? Ich kenne da einen, der es kann: der Käufer.

Die ZEIT-Redaktion hat dem Artikel von Jörn Kraft die Überschrift gegeben: „Überfluß, der Not gehorchend", die den Autor schon widerlegt: „Immer wieder", so sagt er, „bietet die Industrie neue Produkte an. Doch diese Vielfalt scheint immer mehr Menschen nicht mehr sinnvoll." Genau da haben wir den Mechanismus, der Neues zwar zuläßt, aber nicht zur Wirkung kommen läßt: Immer mehr Leute kaufen das Zeug nicht; sie halten es nicht für sinnvoll. Die Wirtschaft (sagt Kraft) tue so, als sei „das neue Spülmittel ein Fortschritt in der chemischen Forschung und nicht etwa bloß ein Zug im Spiel der Marken". Richtig. Nur, da habe ich meine Erfahrung mit den verschiedenen Wirtschafterinnen, die mir im Laufe eines langen Lebens halfen, Küche und Wohnung in Ordnung zu halten. Sie haben – immer! – alle neuen angepriesenen Mittel gekauft: einmal. So sind Hunderte von Seifen, Waschmitteln, Zigaretten, Zeitschriften entwickelt, auf den Markt gebracht worden und zugrunde gegangen; der Konsument wollte sie nicht. Es gibt keine bessere, wirksamere Kontrolle. Wer könnte es sonst sein: eine Behörde, die Kirche, die „Intellektuellen", das Umweltbundesamt?

Nach: *Wer soll bestimmen, was die Industrie produziert?* DIE ZEIT

der Verleger, - jd., der einen Verlag für Bücher, Zeitungen usw. führt

brillant glänzend; hervorragend

die Kontroverse, -n *hier:* wissenschaftl. Streitfrage

die Aktualität die Gegenwartsnähe

die Überkapazität, -en Fähigkeit, mehr herzustellen, als gebraucht wird

die Willkür ohne Rücksicht nur den eigenen Interessen folgend

komfortabel *hier:* luxuriös

die Pumpmechanik, -en Vorrichtung, mit der man durch Pumpen eine Flüssigkeit hochdrücken kann

die Duftnote, -n Variation von Wohlgerüchen

der Virtuose, -n Künstler, der seine Kunst mit Meisterschaft beherrscht

jdm. etwas aufschwätzen jdn. zum Kauf von etwas überreden, was er nicht kaufen will

die Marktwirtschaft Wirtschaftsform, die von Angebot und Nachfrage auf dem Markt bestimmt wird

die Dividende, -n der jährlich auf eine Aktie entfallende Anteil am Gewinn einer Firma

jdn. widerlegen nachweisen, daß die Aussage/Meinung des anderen nicht zutrifft

anpreisen loben; als besonders gut anbieten

der Konsument, -en Verbraucher

verstehen

I   Gerd Bucerius gibt einige Sätze oder Satzteile aus dem Artikel von Jörn Kraft wörtlich wieder; an anderen Stellen verwendet er die Form der indirekten Rede.
Sammeln Sie alle Zitate von Jörn Kraft, die in diesem Aufsatz enthalten sind, und versuchen Sie, den ursprünglichen Text des Autors wiederherzustellen. Beginnen Sie mit der Überschrift, die die ZEIT-Redaktion dem Artikel von Jörn Kraft gegeben hat.

II *Nur ein Teil der folgenden Aussagen über Gerd Bucerius ist richtig. Kreuzen Sie bitte <u>alle</u> richtigen Aussagen an, und finden Sie die betreffenden Stellen im Text.*

1. B. fragt, ob man ein Verbot durchsetzen solle, so daß die Industrie kein „verspieltes, überflüssiges, luxuriöses Zeug" mehr herstellen dürfe. ❑

2. B. meint, daß es vernünftig wäre, nur noch Dinge zu machen, die „nötig gebraucht werden". ❑

3. B. meint, daß nur der Käufer bestimmen könne, „was dann nur noch gemacht werden darf". ❑

4. B. meint, schon die Überschrift, die die ZEIT-Redaktion dem Artikel von Jörn Kraft gegeben habe, spreche für dessen Argumente. ❑

5. B. meint, der „Mechanismus, der Neues zwar zuläßt, aber nicht zur Wirkung kommen läßt", bestehe darin, daß die Leute das Zeug nicht kaufen. ❑

6. B. behauptet, daß seine Wirtschafterinnen nie die „neuen angepriesenen Mittel gekauft" hätten. ❑

7. B. argumentiert, daß niemand außer den Konsumenten eine „bessere, wirksamere Kontrolle" über das, was die Industrie produziert, ausüben könne. ❑

üben

I *Finden Sie die richtige Bedeutung des Wortes.*

1. die Verschwendung
   a) Gebrauch ❑
   b) unnötiger Verbrauch ❑
   c) geheimer Plan zum Aufstand ❑

2. die Werbung
   a) Beurteilung ❑
   b) Drehung; Umkehr ❑
   c) Reklame ❑

3. der Wettbewerb
   a) Anschaffung; Kauf ❑
   b) Kampf um die beste Leistung ❑
   c) Meldung, wie das Wetter wird ❑

4. der Umsatz
   a) erstes Zeichen, erster Anfang ❑
   b) Person oder Sache, die an die Stelle tritt, wo jd. o. etwas ausgefallen ist ❑
   c) Wert aller Waren, die in einem bestimmten Zeitraum verkauft werden ❑

5. zulassen
   a) erlauben, gestatten ❑
   b) etwas (z.B. Butter) flüssig werden lassen ❑
   c) von jdm. oder einem Ort weggehen ❑

6. das Spülmittel
   a) Flüssigkeit, die man dem Wasser zum Geschirrspülen zugibt ❑
   b) Flüssigkeit, in der ein anderer Stoff gelöst werden kann ❑
   c) Stoff, der bewirkt, daß Pflanzen besser wachsen ❑

7. die Wirtschafterin
   a) Chefin eines Gasthauses ❑
   b) Lehrerin oder Studentin der Wirtschaftswissenschaften ❑
   c) Frau, die für den Haushalt sorgt ❑

8. die Behörde
   a) Amt; Verwaltung ❑
   b) Hindernis, das übersprungen werden muß ❑
   c) Frau mit dauernder geistiger oder körperlicher schwerer Krankheit ❑

Für die beiden anderen Lösungen gibt es jeweils ein Wort, das dem Stichwort ähnlich ist. Versuchen Sie, diese Wörter zu finden, z.B.:

---

die Verschwendung   a) die Verwendung (= Gebrauch)
                              b) die Verschwörung (= geheimer Plan zum Aufstand)

Fahren Sie fort.

II   Die Wirtschaft tut so, als wäre das neue Spülmittel ein Fortschritt. (vgl. Z. 59)

---

jd. tut so, als ob

tat so, als/wie wenn

tut so, als

Nach diesen Ausdrücken steht der Konjunktiv II

Merke: *als ob* oder *als wenn* verlangen die Nebensatzkonstruktion, d.h., das Verb steht am Ende. Nach *als* steht das Verb an zweiter Stelle.

A: Weiß er (denn) etwas von unserem Plan?

B: Er tut jedenfalls so, als ob (als wenn) er etwas von unserem Plan wüßte.
    ... als wüßte er etwas von unserem Plan.

Beantworten Sie die Fragen auf beide Arten.

1. Ist der Wirtschafterin das neue Waschmittel bekannt?
2. Hat sie (denn) die ganze Wohnung saubergemacht?
3. Kann die Frau (überhaupt) kochen?
4. Ist sie (denn) schon fertig?
5. Hat den Gästen das Essen geschmeckt? (Sie taten so, ...)
6. Sind sie (denn überhaupt) satt geworden?
7. Wollten die Gäste (denn) nach Hause gehen?
8. Sind die Studenten (eigentlich) schon öfter in seiner Vorlesung gewesen?
9. Kann der Student den Stoff (überhaupt) verstehen?
10. Weiß der junge Mann das (denn) schon alles?
11. Ist der Redner (überhaupt) schon in den USA gewesen?

diskutieren

1. Nachstehend eine weitere Passage aus dem Artikel von Gerd Bucerius (DIE ZEIT, 10.7.81):

„Wer weiß denn schon im vorhinein, welche Entwicklung gut, weiterführend, ganz allgemein volkswirtschaftlich nützlich ist?
Da habe ich in meinen 75 Lebensjahren einiges erlebt. In meiner Jugend habe ich in Büchern noch Karikaturen gefunden, die den Zweiradfahrer lächerlich machten. In meiner Kindheit kam die Photographie unter die Masse; sie war teuer und ganz „überflüssig", schalt meine Mutter (sie malte). Die ersten Automobile – mein Gott, was für ein Krach um sie! Edisons Schallplatte: Betrug! [...]
Wie habe ich über die ersten Türen gelacht, die sich von selbst öffnen, wenn man an sie herantritt! [...]
Tausende Erfindungen und Entwicklungen waren Irrwege. Aber hätte es sie nicht gegeben, hätten wir auch die wenigen nützlichen nicht."

Auch mit diesem Argument sind wahrscheinlich noch nicht alle Fragen zum Thema beantwortet. – Hier einige Anregungen zu weiteren Diskussionen:

a) Sind Käufer tatsächlich so klug, daß sie sich nach einem einmaligen Versuch, wie der Autor sagt, nicht mehr täuschen lassen? – Wie sind Ihre Erfahrungen?

b) Lieben Käufer nicht gerade luxuriöse, herrlich verpackte Produkte, die eigentlich überflüssig sind? – Geht es Ihnen selbst auch so?

c) Wären Sie als Käufer bereit, zum Schutz der Umwelt (Verpackung = Müll!) auf solche Produkte freiwillig zu verzichten, oder wären Sie für Gesetze und Verbote? – Wie ist Ihre Ansicht?

d) Auch für pornographische oder extrem brutale Zeitschriften, Bilder und Filme finden sich Käufer; ebenso für Giftgasfabriken und Atomraketen. – Gibt es dagegen Gesetze? Wo liegen die Grenzen der freien Marktwirtschaft?

2. Welcher der folgenden Aussagen würden Sie zustimmen? Begründen Sie Ihre Ansicht.

a) Durch die Werbung werden die Leute veranlaßt, mehr zu kaufen, als sie brauchen.
b) Werbung ist notwendig zur Information der Käufer.
c) Ohne Werbung kann eine freie Wirtschaft nicht funktionieren.
d) In der Werbung wird bestenfalls nur übertrieben, meistens gelogen. Wie ein Produkt tatsächlich ist, erfährt man nicht.
e) Die Werbung ist heute nur noch ein künstlerisch interessantes Spiel. Die angepriesenen Produkte sind gleichgültig.

Da läuft etwas falsch

Mein Nachbar, ein vielbeschäftigter Arzt, hat sich vor vier Monaten ein Segelboot gekauft. Seitdem habe ich ihn kaum mehr zu Gesicht bekommen. Früher trafen wir uns
5 mindestens alle drei Wochen bei einem Glas Wein. Für ihn waren die dabei geführten Gespräche wichtig, weil es dabei einmal um andere Dinge als um entzündete Bronchien oder Schmerzen in der Nierengegend
10 ging, wie er mir versicherte. Aber seit dem Kauf des Bootes haben wir nicht mehr miteinander geredet.

Es ist ein seltsames Phänomen: Unsere Industrie entwickelt ständig neue Maschi-
15 nen und Geräte, die uns Zeit sparen helfen. Wasch- und Spülmaschinen nehmen der Hausfrau einen erheblichen Teil ihrer Hausarbeit ab. Roboter und Computer entlasten Arbeiter in Fabriken und Ange-
20 stellte in Büros. Die Arbeitszeit in fast allen Betrieben wird laufend verkürzt, weil für die Produktion von Gütern immer weniger menschliche Arbeitskraft gebraucht wird. Trotzdem haben immer mehr Menschen
25 bei uns immer weniger Zeit. Selbst Rentner klagen über Zeitmangel.

Wenn man nach dem Grund fragt, stellt sich bei den meisten heraus, daß sie zu viele Dinge besitzen, die Zeit kosten. Der eine hat sich ein Fahrrad gekauft, der andere 30 einen neuen Grill angeschafft, der dritte ein günstiges Angebot für ein Surfbrett genutzt, der vierte besitzt eine Ferienwohnung im Schwarzwald – und alle haben dafür schließlich eine Menge Geld bezahlt. 35

Um nicht „Geld aus dem Fenster zu werfen", was niemand gern tut, versuchen wir, uns beim Vergnügen zu beeilen oder mehrere Dinge gleichzeitig zu schaffen. Nach Feierabend hasten wir schnell noch mal 40 zum Surfen ans Wasser, weil wir uns ja das Surfbrett gekauft haben – für das Gespräch mit dem Freund, auf das wir uns gefreut hatten, reicht es dann nicht mehr. Im Urlaub jagen wir über die Autobahn durch 45 ganz Deutschland, um unser Ferienhaus, das so viel Geld gekostet hat, zu genießen. Und viele lesen Zeitung oder hören Nachrichten beim Essen, um „Zeit zu sparen". Aber trotzdem reicht sie nicht. Unser 50 wachsender Wohlstand ermöglicht uns immer mehr Anschaffungen. Aber nicht nur die Produktion, sondern auch der Konsum kostet Zeit. Und das übersehen wir oft. Der alte Spruch „Zeit ist Geld" gilt heute so 55 nicht mehr. Zeit ist heute viel kostbarer als Geld. Denn für Geld kann man zwar vieles kaufen – aber keine Zeit.

Nach: *Da läuft etwas falsch!* Deutsches Allgemeines Sonntagsblatt

das Segelboot, -e kleines Schiff, das vom Wind getrieben wird

jdn. zu Gesicht bekommen jdn. sehen/treffen

die Bronchie, -n Ast der Luftröhre

die Niere, -n Organ, das Urin bildet und ausscheidet

jdm. etwas versichern jdm. etwas glaubhaft darstellen

das Phänomen, -e *hier:* ungewöhnliches Vorkommen

erheblich *hier:* groß

entlasten jdm. etwas von seiner Arbeit, Mühe abnehmen

hasten aufgeregt eilen

das Surfbrett, -er Wassersportgerät, bei dem man sich stehend vom Wind treiben läßt

die Anschaffung, -en Kauf

der Konsum Verbrauch

etwas übersehen *hier:* ohne Absicht nicht wahrnehmen

kostbar wertvoll

verstehen

Antworten Sie mit Ihren eigenen Worten.

1. Worum ging es bei den Gesprächen, die der Autor mit dem Arzt früher geführt hatte?

2. Warum waren die Gespräche für den Arzt so wichtig?

3. Warum hat der Autor des Artikels den Arzt plötzlich nicht mehr gesehen?

4. Was wird über Maschinen wie Wasch-, Spülmaschine usw. ausgesagt?

5. Die Herstellung von Gütern erfordert immer weniger Arbeitszeit. Was sind die Folgen?

6. Warum klagen die Leute trotzdem über Zeitmangel? Geben Sie Beispiele.

7. Welche Folgen hat – nach Ansicht des Autors – der wachsende Wohlstand?

8. Was soll der alte Spruch „Zeit ist Geld" bedeuten?

9. Wieso ist Zeit für uns heute wertvoller geworden als Geld?

üben

I   Über die Zeit reden

Zeit brauchen
Zeit haben
etwas kostet Zeit
jemandem reicht die Zeit (aus)
sich Zeit nehmen
Zeit sparen / gewinnen
Zeit verlieren / verschwenden / vergeuden

Welche der angegebenen Wendungen paßt sinngemäß in die Lücken der folgenden Sätze.
Geben Sie die jeweils entsprechenden Textstellen an.

1. Durch neue Haushaltsmaschinen kann die Hausfrau viel _____ .

2. Sogar den Rentnern _____ nicht (_____).

3. Man liest und hört Nachrichten beim Essen, um keine _____ .

4. Wer ein Segelboot besitzt, _____ viel _____ dafür

5. und _____ keine _____ mehr für seine Freunde.

6. Ein teures Ferienhaus _____ nicht nur Geld, sondern auch _____ .

7. Früher _____ sich mein Freund _____ , um auch mal über anderes als medizinische Probleme zu sprechen.

8. Um keine _____ , jagt man mit großer Geschwindigkeit quer durch das Land zu seiner Zweitwohnung.

9. Wer abends zum Surfen geht, _____' kaum noch _____ für ein freundschaftliches Gespräch.

10. Auch ein Fahrrad oder ein Grill gehören zu den Dingen, die _____ _____ .

11. Roboter und Computer werden eingesetzt, um _____ .

12. Seit unser Wohlstand wächst, _____ wir mehr _____ , um all unsere Anschaffungen zu konsumieren.

13. Die Arbeitszeit wird verkürzt, aber _____ uns trotzdem nicht (_____).

14. Wenn wir unser Geld nicht zum Fenster hinauswerfen wollen, müssen wir uns anstrengen, damit wir für unser Hobby genug _____ .

II *Bilden Sie aus den Sätzen in Klammern je zwei hintereinanderstehende Relativsätze. Beachten Sie, von welchen Beziehungswörtern die Relativsätze jeweils abhängen. Ersetzen Sie dabei die schräg gedruckten Pronomen durch die entsprechenden Relativpronomen.*

Es gibt viele Geschichten. (*In ihnen* werden Beispiele erzählt. *Sie* beweisen, wie etwas falsch laufen kann.)

Es gibt viele Geschichten, in denen Beispiele erzählt werden, die beweisen, wie etwas falsch laufen kann.

---

1. Ein Ingenieur (*Er* hatte nie genug Zeit, alle Fernsehsendungen zu sehen. *Sie* interessierten ihn.) kaufte sich einen Videorecorder.

2. Um das neue Gerät (*Es* speichert alle Filme. Er mußte *sie* sonst aus Zeitmangel versäumen.) richtig zu nutzen, abonnierte er eine dicke Programmzeitschrift (Er hatte *sie* vorher nie gebraucht. Aber jetzt studierte er *sie* jeden Morgen beim Frühstück lange und intensiv.).

3. Dann stellte er den Videorecorder (Er nannte *ihn* seinen liebsten Hausgenossen, und er erwartete *von ihm* spannende Unterhaltung und neue Informationen.) sorgfältig auf die ausgewählten Programme ein.

4. Inzwischen war er auch einer der besten Kunden bei einem Radiohändler (Er kaufte *bei ihm* unzählige Leerkassetten. Er brauchte *sie* für sein neues Hobby.).

5. Aber leider hat der Ingenieur seine Fernsehfilme (Er hatte *sie* mit soviel Begeisterung aufgenommen, und er hatte *für sie* soviel Geld ausgegeben.) noch nie gesehen, denn wenn er abends etwas Zeit hatte, sah er natürlich die Sendungen (Er hatte *sie* nicht gespeichert. Aber er erhoffte sich *von ihnen* weitere Informationen.), weil er glaubte, daß er für die aufgenommenen Filme (*Sie* lagen liebevoll gestapelt und numeriert in einem Schrank.) später einmal Zeit haben würde.

6. So kommt es, daß der Ingenieur immer noch auf die Freude wartet (Seine Kassetten sollten *sie* ihm bringen, und er wird *sie* wahrscheinlich nie erleben.).

diskutieren

1. In bezug auf „Neuheiten" kann man – sehr vereinfachend – drei Menschentypen unterscheiden, die ihre Einstellung etwa so formulieren würden:
   a) Ich bleibe immer nur bei dem, was ich kenne. Ich liebe meine gewohnte Umgebung und kümmere mich nie darum, was andere tun.
   b) Alles Neue interessiert mich brennend. Ich muß es immer ausprobieren, weil ich hoffe, daß es mir ein neues Lebensgefühl bringt.
   c) Wenn es etwas Neues gibt, muß ich mich dafür interessieren, sonst kann ich nicht mitreden und verliere den Kontakt zu meinen Bekannten.
   Welchem der drei Typen würden Sie sich zurechnen? Zählen Sie die Stimmen aus und bilden Sie Gruppen, die ihre jeweiligen Positionen verteidigen.

2. Könnten diese Positionen auch etwas über die politische Einstellung eines Menschen aussagen?
   Gibt es so etwas wie einen konservativen oder einen progressiven Menschentyp?
   Sind solche Unterschiede angeboren oder durch Einsicht und Erfahrung erworben?
   a) Versuchen Sie, die beiden verschiedenen politischen Richtungen zu charakterisieren. Schreiben Sie eventuell Aussagen und Begriffe, die für die gegensätzlichen Einstellungen gebraucht werden, an die Tafel.
   b) Diskutieren Sie über die beiden letzten Fragen.

Rauchen ist besser als Heucheln

Neulich, auf dem Flug von Boston nach New York: Ich hatte kaum Platz genommen, da verkündete die Stewardeß, die planmäßige Flugzeit liege unter zwei Stun-
5 den (tatsächlich wurden es vier), und deshalb sei dies, den Vorschriften entsprechend, ein Nichtraucherflug. Viele Passagiere klatschten laut Beifall.
   Etwas irritierte mich daran, und ich
10 überlegte während des ganzen Fluges, was es war. Schließlich fand ich die Antwort: Ich war Zeuge einer Demonstration moralischer Selbstgerechtigkeit gewesen. Heutzutage ist das Rauchen eine Sünde; wer es verurteilt, fühlt sich tugendhaft und recht- 15 schaffen. Fragte man all diese selbstgefälligen Passagiere einmal, warum sie geklatscht haben, bekäme man zur Antwort, durch diese Vorschrift seien sie nun nicht mehr gegen ihren Willen irgendwelchen 20

Einflüssen ausgesetzt, die ihrer Gesundheit schaden könnten. Doch nimmt man diese Begründung einmal unter die Lupe, dann werden die fadenscheinige Argumentation
25 und die heuchlerische Tugendhaftigkeit, die dahinterstecken, rasch deutlich.

Ich zum Beispiel fühle mich von gewissen Eau de Colognes und Parfüms belästigt, die mir in engen Räumen – etwa im
30 Flugzeug – erhebliches Unwohlsein bereiten. Das gleiche gilt für schreiende Kinder, ungepflegte Männer und dicke Menschen. Allerdings kann ich mir kaum vorstellen, daß etwa die Durchsage der Stewardeß, auf
35 diesem Flug sei gemäß den Vorschriften die Benutzung von Old Spice verboten, vom Publikum beklatscht würde.

Nach: *Rauchen ist besser als Heucheln*, DIE ZEIT

Dagegen wird man sicherlich einwenden, daß ein Parfüm keinen Lungenkrebs verur-
40 sacht. Abgesehen davon, daß in keiner Weise bewiesen ist, ob ein Nichtraucher Lungenkrebs bekommt, wenn er zwei Stunden lang mit einem Raucher im selben Flugzeug sitzt,
45 müßte es nach der gleichen Logik auch Menschen mit ansteckenden Krankheiten wie Erkältung, Grippe oder Bindehautentzündung verboten sein, ein Flugzeug zu besteigen. Wer sich zu einer Flugreise entschließt,
50 nimmt nun einmal allerlei Unannehmlichkeiten wie Lärm und verschiedene Gerüche in Kauf. Aber allein der Zigarettenrauch ist zum Haßobjekt geworden. Kein Zweifel, Rauchen ist äußerst ungesund. Aber für viele
55 kann es die einzige Freude ihres Lebens sein.

---

heucheln ein Gefühl, eine gute Eigenschaft vortäuschen

verkünden laut bekanntgeben

irritieren unsicher machen; erregen

die Selbstgerechtigkeit Wesenszug eines Menschen, der stets von der Richtigkeit seines Denkens und Tuns überzeugt und zur Selbstkritik nicht fähig ist

tugendhaft sittlich, moralisch vorbildlich

rechtschaffen ehrlich, anständig, pflichtbewußt

selbstgefällig unkritisch, von den eigenen Vorzügen und Leistungen stets überzeugt

der Einfluß, -sse *hier:* Einwirkung

etwas unter die Lupe nehmen eine Sache sehr genau betrachten

fadenscheinig leicht durchschaubar

heuchlerisch ein Gefühl, eine Haltung vortäuschend

erheblich *hier:* sehr stark

das Publikum *hier*: die Anwesenden

einwenden einen Gegengrund äußern, widersprechen

die Logik folgerichtiges Denken

die Bindehautentzündung, -en Augenerkrankung

verstehen

Antworten Sie mit Ihren eigenen Worten.

?

1. Wohin flog der Autor des Artikels?

2. Wie lange sollte der Flug dauern, und wie lange dauerte er wirklich?

3. Warum klatschten viele Passagiere Beifall, als bekanntgegeben wurde, daß dieser Flug ein „Nichtraucherflug" sei?

4. Was störte den Autor an dem Beifall?

5. Welche Gerüche stören den Autor?

6. Durch welche anderen Dinge fühlte sich der Autor gestört?

7. Welche Durchsage würde – nach Ansicht des Autors – z.B. nicht beklatscht?

8. Inwiefern gibt der Autor selbst zu, daß man das Rauchverbot nicht mit einem Verbot von Eau de Cologne vergleichen kann?

9. Welche kritischen Fragen stellt der Autor, was die Berechtigung des Rauchverbotes anbetrifft?

10. Welchen Leuten müßte – nach Ansicht des Autors – der Zugang zum Flugzeug verboten werden?

11. Welche unangenehmen Dinge muß man – nach Ansicht des Autors – auf einer Flugreise in Kauf nehmen?

12. Wie reagieren – nach Meinung des Autors – die Passagiere auf Zigarettenrauch?

13. Welche Bedeutung hat das Rauchen – nach Meinung des Autors – für viele Raucher?

üben

I *Erklären Sie die folgenden Ausdrücke aufgrund des Kontextes:*

1. planmäßig (Z. 4) 2. den Vorschriften entsprechend (Z. 6) 3. die Demonstration (hier!) (Z. 12) 4. die Sünde (Z. 14) 5. etwas verurteilen (Z. 15) 6. jdn. belästigen (Z. 28) 7. das Unwohlsein (Z. 30) 8. ungepflegt (Z. 32) 9. die Durchsage (Z. 34) 10. gemäß (Z. 35) 11. das Publikum (Z. 37) 12. ansteckende Krankheiten (Pl.) (Z. 46)

II *Ergänzen Sie die fehlenden Präpositionen bzw. die Zusammenziehung von Präposition + Artikel (z.B. „zum"), möglichst ohne im Text nachzuschauen.*

1. Die Passagiere klatschten Beifall. Etwas irritierte mich dar_____ , ...

2. Doch nimmt man diese Begründung einmal _____ die Lupe, dann wird die fadenscheinige Argumentation, die da_____ steckt, rasch deutlich.

3. Ich fühle mich _____ gewissen Parfüms belästigt.

4. Das gleiche gilt _____ schreiende Kinder.

5. Da_____ wird man sicherlich einwenden, daß ...

6. Abgesehen da_____ , daß _____ keiner Weise bewiesen ist, ob ein Nichtraucher Lungenkrebs bekommt, wenn er zwei Stunden lang mit einem Raucher im selben Flugzeug sitzt, müßte es _____ der gleichen Logik auch Menschen mit ansteckenden Krankheiten verboten sein, ein Flugzeug zu besteigen.

7. Wer sich _____ einer Flugreise entschließt, nimmt allerlei Unannehmlichkeiten _____ Kauf.

8. Aber allein der Zigarettenrauch ist _____ Haßobjekt geworden.

III *Bilden Sie irreale Bedingungssätze. Beachten Sie, daß die realen Satzteile unverändert bleiben.*

Man fragt die Passagiere nicht, warum sie geklatscht haben; deshalb geben sie auch keine Begründung.

Aber wenn man die Passagiere fragte, warum sie geklatscht haben, gäben sie eine Begründung.

---

1. Der Autor weiß nicht, daß er auf dem Flug von Boston nach New York nicht rauchen darf; deshalb nimmt er kein anderes Verkehrsmittel.
2. Die Zuschauer klatschen, als die Stewardeß den Nichtraucherflug bekanntgibt; daraufhin beginnt der Autor, sich Gedanken zu machen.
3. Man sieht das Rauchen heutzutage als Sünde an; deshalb fühlen sich die Nichtraucher den Rauchern überlegen, meint der Autor.
4. Man nimmt die Begründung der Nichtraucher, die sich über das Rauchverbot freuten, nicht genau genug unter die Lupe; deshalb wird – nach Ansicht des Autors – ihre Heuchelei nicht deutlich.
5. Der Autor fühlt sich von bestimmten Parfüms, die andere Passagiere benutzen, belästigt; daher wird ihm in der Enge eines Flugzeugs oft unwohl.
6. Auf dem Flug, von dem der Autor berichtet, gibt es weder schreiende Kinder noch dicke Menschen; also kann er sich auch nicht beschweren.
7. Man kann nicht beweisen, daß ein Nichtraucher innerhalb von zwei Stunden durch den Zigarettenqualm Lungenkrebs bekommt; deshalb läßt der Autor sich nicht überzeugen.
8. Die logische Folgerung des Autors stimmt nicht; daher müssen Grippe- und Augenkranke nicht vor dem Besteigen eines Flugzeugs zurückgewiesen werden.
9. Der Tabakqualm stinkt furchtbar, was der Autor nicht einsehen will; darum reagieren viele Menschen so aggressiv.

diskutieren

1. Wie ist Ihre Meinung zu den folgenden Fragen?
   a) Ist das Klatschen der Reisenden nach dem Rauchverbot wirklich der Ausdruck von „moralischer Selbstgerechtigkeit" und „heuchlerischer Tugendhaftigkeit"?
   b) Verbirgt sich hinter den Anschuldigungen des Autors vielleicht die eigene Hilflosigkeit, das Rauchen nicht aufgeben zu können?
   c) Wer zeigt eigentlich mehr Aggressivität in diesem Text: die klatschenden Reisenden oder der Autor mit seinen Unterstellungen?
   d) Ist es nicht eher absurd als „logisch", wenn der Autor bei einem Rauchverbot im Flugzeug auch gleich ein Flugverbot für Augen- und Erkältungskranke fordert?

2. Kann man diese Glosse – so nennt man kurze Zeitungsartikel, in denen ein Autor in leichter Form seine persönlichen Erlebnisse und Ansichten darstellt – nicht auch ganz anders sehen?

   a) Hat der Autor das alles gar nicht so ernst gemeint, sondern nur eine hübsche Glosse geschrieben, weil er sich wieder mal schrecklich geärgert hatte?
   b) Hat er nicht eigentlich recht damit, daß die Mehrheit der Nichtraucher die Minderheit der Raucher tyrannisiert?

c) Glauben nicht tatsächlich viele Nichtraucher, besonders diejenigen, die früher selbst geraucht haben, daß sie den Rauchern überlegen sind, weil sie das schädliche Gift aufgegeben haben?

3. Diskutieren Sie weiter. – Wer von Ihnen hätte im Flugzeug geklatscht? Erfinden Sie einen Streit zwischen einem Raucher und einem Nichtraucher; daran sollten sich nach und nach immer mehr Personen auf beiden Seiten beteiligen. – Spielen Sie die Szene.

In älteren Filmen wurde noch sehr viel geraucht, wobei besonders in Schwarzweißfilmen der Zigarettenrauch oft als reizvolles optisches Mittel eingesetzt wurde. Zählen sie doch einmal mit, wenn Sie z.B. einen der berühmten, alten amerikanischen Filme sehen, wie viele Raucher Sie dort sehen können. Dagegen findet man in heutigen Fernsehfilmen und Talkshows kaum noch Raucher. Die Fernsehanstalten haben sich zu einem freiwilligen Rauchverzicht entschlossen.
Warum wohl?

Chronik des Schmerzes

Der Patient Karl Kenke ist eine Erfindung, eine Filmfigur, erschaffen aus den langjährigen Erfahrungen einer Psychotherapeutin und eines Anästhesisten von der Universität Göttingen, unter deren sachkundiger Beratung der Fernsehfilm „Schmerz – Chronik einer Krankheit" entstand.

Karl Kenke, im Film dargestellt von einem ausgezeichneten Schauspieler, ist der typische Schmerzpatient. Er ist ein „Antreiber", überfordert sich und andere, schont niemanden, am wenigsten sich selbst, und leidet. Seine unablässigen Rückenschmerzen scheinen unheilbar zu sein. Als ein Arzt ihm rät, doch einmal mit einer Psychologin zu sprechen, sagt er trotzig: „Vom Reden allein gehen die Schmerzen auch nicht weg." Er fürchtet, daß ihn die Psychologin für verrückt erklärt und ihm die Schmerzen nicht glaubt.

Das Schicksal von Karl Kenke steht für Hunderttausende von chronisch Schmerzkranken, denen auch eine fachgerechte Behandlung kaum Linderung oder gar Schmerzfreiheit bringt. Sie blicken oft auf eine jahrelange Patientenkarriere zurück, haben es mit Tabletten und Spritzen, Massagen und manchmal auch mit Operationen versucht und finden keine Heilung. Wie Karl Kenke wollen sie immer funktionieren, geben eine Überforderung nicht zu, zeigen keine Gefühle und schlucken ihre Ängste herunter. Und Rücksicht auf sie nimmt keiner, nicht einmal sie selbst. Die Muskeln verspannen sich, verstärken die Schmerzen: Schmerz – Streß – Schmerz ... ein Teufelskreis entsteht, der auch den Medikamentenverbrauch hochtreibt.

Im Verlauf des Films begreift Karl Kenke allmählich, daß seine Rückenschmerzen etwas mit seiner Lebensweise und seiner Psyche zu tun haben. Das entspricht den Aufklärungsabsichten der Autoren, die sich sowohl an die Patienten als auch an die Ärzte richten. Denn ein Rezept für ein Schmerzmittel ist schnell ausgestellt, eine Spritze rasch gegeben, die psychotherapeutischen Verfahren sind zeitaufwendiger, für Arzt und Patienten unbequemer und oft, das ist am wichtigsten, einfach unbekannt.

Es ist ein schmerzhafter Prozeß, die Ursachen der eigenen Schmerzen in sich selbst zu erkennen.

Nach: *Chronik des Schmerzes*, DIE ZEIT

der Aufklärungsfilm, -e Film, der die Menschen / bestimmte Gruppen über Dinge informieren will, die ihnen nicht oder kaum bekannt sind

die Chronik, -en Aufzeichnung von Ereignissen in zeitlich genauer Reihenfolge

die Psychotherapeutin, -nen medizinisch-psychologisch geschulte Kraft zur Behandlung geistig-seelischer Erkrankungen

der Anästhesist, -en Narkosefacharzt

jdn./sich schonen *hier:* Rücksicht auf jemandes/auf die eigene Gesundheit nehmen

unablässig dauernd

chronisch langsam sich entwickelnd; ständig (vgl. Chronik)

die Linderung Abschwächung; Erleichterung

funktionieren *hier:* die selbst gestellten Aufgaben/Arbeiten erfüllen

der Streß körperliche oder seelische Anspannung, Belastung

die Psyche der geistig-seelische Bereich

zeitaufwendig viel Zeit brauchend

verstehen

?

Nur ein Teil der folgenden Aussagen zum Text ist richtig. Kreuzen Sie bitte alle richtigen Aussagen an.

1. Karl Kenke ist
   a) eine Erfindung zweier Autoren. ❑
   b) ein ausgezeichneter Filmschauspieler. ❑
   c) ein „echter" Patient einer Psychotherapeutin und eines Anästhesisten. ❑

2. Der Fernsehfilm „Schmerz – Chronik einer Krankheit" ist
   a) eine Erfindung von Karl Kenke. ❑
   b) ein Film, bei dem Karl Kenke einen Schmerzpatienten spielt. ❑
   c) ein Film, bei dem ein Schauspieler einen Schmerzpatienten namens Karl Kenke spielt. ❑

3. Für den im Film dargestellten Schmerzpatienten ist typisch,
   a) daß er gern Leistungen zeigt, die eigentlich über seine Kräfte gehen. ❑
   b) daß er auch von anderen gerne solche Leistungen erwartet. ❑
   c) daß er sich bei alldem wohl fühlt. ❑

4. Der dargestellte Schmerzpatient
   a) glaubt, daß er verrückt ist. ❑
   b) wird von der Psychologin für verrückt erklärt. ❑
   c) glaubt nicht, daß eine Psychologin ihn heilen kann. ❑

5. Schmerzpatienten
   a) erkennen meist, daß sie psychisch krank sind. ❏
   b) werden meist durch Tabletten, Spritzen und Massagen geheilt. ❏
   c) geben ihre Ängste ohne weiteres zu. ❏

6. Schmerzpatienten sind Menschen,
   a) auf die keiner Rücksicht nimmt. ❏
   b) die auf sich selbst keine Rücksicht nehmen. ❏
   c) die alle Ängste in sich hineinschlucken. ❏

7. Die Schmerzen bei diesen Patienten
   a) sind nur eingebildet, sind nicht wirklich da. ❏
   b) entstehen durch Muskelverspannungen. ❏
   c) werden erfolgreich durch Medikamente bekämpft. ❏

8. Die richtige Behandlung der Schmerzpatienten ist
   a) für den Arzt zeitaufwendig. ❏
   b) für den Patienten unbequem. ❏
   c) ist manchem gar nicht bekannt. ❏

üben

I *Erklären Sie die folgenden Wörter aufgrund des Kontextes:*

1. erschaffen (Z. 2)   2. darstellen (Z. 8)   3. ausgezeichnet (Z. 9)   4. der Antreiber (Z. 10)   5. jdn. (sich) überfordern (Z. 11)   6. das Schicksal (Z. 21)   7. fachgerecht (Z. 23)   8. die Patientenkarriere (Z. 26)   9. Ängste herunterschlucken (Z. 32)   10. Rücksicht nehmen (Z. 33)   11. sich verspannen (Z. 35)   12. der Teufelskreis (Z. 37)   13. die Aufklärungsabsichten (Pl.) (Z. 43)   14. ein Rezept ausstellen (Z. 45)

II *Nennen Sie Antonyme* (z.B.: der Anfang – das Ende):

1. ausgezeichnet   2. jdn. schonen   3. unablässig   4. verrückt   5. die Rücksicht
6. entstehen   7. allmählich

III *Erklären Sie den Unterschied zwischen ...*

1. Erfindung (Z. 1) und Entdeckung 2. Psychologin (Z. 16) und Psychotherapeutin (Z. 3) 3. chronisch (Z. 22) und chronologisch (vgl. Chronik Z. 7) 4. Verfahren (Z. 48), Behandlung (Z. 23) und Beratung (Z. 6) 5. psychisch (vgl. Psyche Z. 42) und physisch 6. Rücksicht (Z. 33) und Vorsicht

IV *Stellen Sie in den folgenden Sätzen den daß-Satz bzw. die Infinitivkonstruktion nach hinten. Beachten Sie, daß im ersten Teilsatz dann „es" gesetzt werden muß.*

> Die Ursachen des Schmerzes in sich selbst zu erkennen ist ein schmerzhafter Prozeß.
>
> > Es ist ein schmerzhafter Prozeß, die Ursachen des Schmerzes in sich selbst zu erkennen.

1. Sich ständig zu überfordern ist typisch für die sogenannten Schmerzpatienten.
2. Einen Psychologen oder eine Psychologin aufzusuchen fällt den Schmerzpatienten schwer.
3. Daß es Hunderttausende von Schmerzpatienten gibt, ist bekannt.
4. Daß die Patienten mit Tabletten, Spritzen und Massagen versuchen, ihre Schmerzen loszuwerden, ist verständlich.
5. Die eigene Überforderung nicht zuzugeben und die Ängste herunterzuschlucken ist ein typisches Verhalten der Schmerzpatienten.
6. Daß dadurch eine Art Teufelskreis entsteht, der den Medikamentenverbrauch hochtreibt, ist bekannt.
7. Daß Karl Kenke im Verlauf des Films allmählich begreift, daß seine Rückenschmerzen etwas mit seiner Lebensweise und seiner Psyche zu tun haben, entspricht den Aufklärungsabsichten der Autoren.
8. Daß eine Heilung oft nur durch eine psychotherapeutische Behandlung möglich ist, ist wenig bekannt.

V   *Ergänzen Sie. (Beachten Sie, daß das Adjektiv hinter dem Relativpronomen im Genitiv nach der Adjektivdeklination ohne Artikel gebildet wird.)*

Es handelt sich um eine Psychologin und einen Anästhesisten, unter deren sachkundiger Beratung ein Fernsehfilm entstand.

---

1. Ein Schauspieler spielte einen Patienten, d_____ unerträglich_____ Schmerzen ihn von einem Arzt zum anderen trieben.

2. Man fand einen Schauspieler, d_____ Darstellung überzeugend war.

3. Dieser spielte den Patienten Karl Kenke, d_____ unablässig_____ Rückenschmerzen anscheinend durch keinerlei Mittel zu beseitigen waren.

4. Kenke, d_____ psychisch_____ Erkrankung von vielen Ärzten gar nicht erkannt wurde, war verzweifelt.

5. Er ließ sich Tabletten, Spritzen und Massagen verschreiben, von d_____ gering_____ Wirkung er jedoch immer wieder enttäuscht war.

6. Zu einer Psychologin, von d_____ gutgemeint_____ „Reden" er sowieso nichts hielt, wollte er nicht gehen.

7. Die Autoren, d_____ erklärt_____ Absicht es war, allen Schmerzpatienten zu helfen, ließen ihren Filmpatienten schließlich doch zur psychotherapeutischen Behandlung gehen.

8. Die Psychotherapeutin, unter d_____ einfühlsam_____ Behandlung Karl Kenke schließlich seine Schmerzen los wurde, hat mit diesem Film wichtige Aufklärungsarbeit geleistet.

spielen

Spielen Sie den Patienten Kenke, der zunächst einen praktischen Arzt aufsucht. Dieser versucht, ihm mit Medikamenten zu helfen. Wenn das nichts hilft, will er ihm Spritzen geben und Massagen verschreiben. Er stellt ihm, „wenn alles nichts hilft", eine Operation in Aussicht. – Kenke trifft dann einen alten Bekannten, der jetzt Anästhesist ist, und erzählt ihm von seinem Leiden. („Hör mal, du bist doch Fachmann was Schmerzen anbelangt, kannst du mir nicht helfen? Ich war bei ..., aber der ...") Der Anästhesist rät ihm, eine bekannte Psychologin aufzusuchen. Kenke sagt, was er davon hält, aber schließlich folgt er doch dem Rat. Die Psychologin stellt ihm viele Fragen, bis Kenke schließlich selbst die Ursachen seiner Krankheit erkennt. Damit ist seine Heilung vorprogrammiert.

Bei dem Spiel werden Sie sicher folgende Ausdrücke brauchen:

„Herr Doktor, mir tut es hier weh." oder: „Ich habe hier Schmerzen." (zeigen!) „Mir tut der Rücken weh." „Ich habe starke / furchtbare Rückenschmerzen. Besonders hier oben, an den Schultern / im Nacken." (= hinterer Teil des Halses) – Der Arzt verschreibt / verordnet dem Patienten ein Medikament / eine Arznei / Tabletten / Massagen usw. Er schreibt ein Rezept aus. Er gibt dem Patienten eine Spritze. Er bestellt ihn wieder in seine Praxis. Der Patient nimmt die Medizin ein, er nimmt / schluckt dreimal täglich eine Tablette (nicht: er ißt die Tablette!).

Wenn der Patient die Psychologin aufsucht, wird diese ihn vorsichtig befragen, seit wann er diese Schmerzen hat, ob sie nur im Rücken auftreten, ob sie plötzlich kommen oder ob sie sich langsam aufbauen usw. Der Patient erkennt langsam, wann die Schmerzen auftreten, nämlich immer, wenn er sich ärgert / er großen Ärger hat, aber nichts sagt, sondern alles runterschluckt / in sich hineinfrißt, wenn er bis in die Nacht am Schreibtisch gesessen hat, wenn er sich beim Wandern, beim Jogging, beim Fußball ... überfordert hat. – Besprechen Sie das Rollenspiel vorher. Machen Sie ggf. eine Liste der Fragen, die die Psychologin dem Patienten stellen will.

Kinder brauchen Fernsehen

Bruno Bettelheim, der jetzt 85jährige Kinderpsychologe, erinnert sich an seine Kindheit: Wenn er seine strengen Eltern und die brutalen Spielkameraden nicht mehr sehen
5 wollte, dann floh er in seine Traumwelt, ins Kino. Es waren aufregende Stunden, die er da erlebte, und sie trösteten ihn über die Langeweile und Eintönigkeit des All-
10 täglichen hinweg.

Der neueste Aufsatz des berühmten Autors entstand also aus den Erfahrungen seiner frühen Jugend: „Kinder brauchen
15 Fernsehen." – „Kinder wünschen sich viel", schreibt Bettelheim, „aber ihre Welt

wird zu sehr von Erwachsenen beherrscht, denen das Gefühl für ihr Kinderleben fehlt. Deshalb haben Kinder ein viel größeres Bedürfnis nach Tagträumen, die sie in Fern-
20 sehfilmen durchleben können."

Angenommen, Sie hätten Kinder zwischen vier und vierzehn Jahren: Würden Sie Ihnen erlauben a) den Fernseher anzustellen, wann die Kinder es wollen? b) nur bestimmte Sendungen anzusehen? Wenn ja, welche? c) fernzusehen, wenn die Kinder Ihnen (z.B. in der Küche oder am Schreibtisch) lästig wären und auf die Nerven gingen?
Oder sind Sie der Meinung, Kinder sollten grundsätzlich nicht fernsehen? Begründen Sie Ihre Meinung.

Bettelheim empfiehlt dafür nicht etwa nur die harmlosen Geschichten von netten

Kindern oder niedlichen Tieren, er geht viel
25 weiter: „Ich kann nicht leugnen, daß Gewalt, solange sie nicht lasterhaft oder grau-
sam ist, eine gewisse Faszination ausübt.
Viele Kinder genießen aggressive Phanta-
sien nicht nur, sie brauchen sie sogar.“
30   Der Psychologe beruft sich dabei auf
Untersuchungen, die ergeben haben, daß
Kinder, wenn sie ihre Wut beim Zuschauen
in der Phantasie abreagiert haben, keinen
Drang mehr verspüren, auch in Wirklich-
35 keit aggressiv zu sein.
    Für uneingeschränkten Fernsehkonsum
plädiert Bettelheim nicht. Doch das, wo-
von er abrät, dürfte moderne Erzieher vielleicht erschrecken. Wer es nämlich gut mit

seinem Kind meint, sollte ihm Bildungs- 40
programme ersparen. „Kindersendungen
wie die Sesamstraße schaffen die Illusion,
daß man leicht und unverzüglich eine gute
Bildung erhält. Wie bei Zahnpastareklame
wird das Kind ermutigt zu glauben, daß 45
sich der Erfolg ganz ohne Mühe einstellt.
Natürlich ist das nicht der Fall. Kein Wunder, wenn das Kind mit sich und der Gesellschaft unzufrieden wird.“
    Bettelheim fordert die Eltern auf, nicht 50
der Unsitte zu verfallen, alles zu verdammen, was Kindern Spaß macht. Sie sollten
sich lieber mit ihren kleinen Töchtern und
Söhnen gemeinsam einen Film ansehen und
anschließend darüber sprechen.   55

Nach: *Kinder brauchen Fernsehen*, DIE ZEIT

jdn. über etwas hinwegtrösten jdn. etwas Unangenehmes für einige Zeit vergessen lassen

das Bedürfnis, -se der starke Wunsch nach etwas, was man zu brauchen glaubt

harmlos ungefährlich

etwas nicht leugnen können etwas zugeben müssen

lasterhaft sittenlos; unmoralisch; schlecht

die Faszination fesselnde, anziehende Wirkung

sich berufen auf *hier:* auf etwas Bekanntes hinweisen

abreagieren einen psychischen Druck abwerfen, loswerden

der Drang sehr starker Wunsch

der uneingeschränkte Fernsehkonsum das Anschauen beliebig vieler Fernsehsendungen

für etwas plädieren für etwas eintreten; dafür sein

jdm. etwas ersparen etwas Lästiges von jdm. fernhalten

jdn. ermutigen, etwas zu tun jdm. zu etwas Mut machen; jdn. in seinem Plan bestärken

der Unsitte verfallen ständig den gleichen Fehler machen, die schlechte Angewohnheit haben

etwas verdammen etwas für schlecht ansehen; etwas ablehnen

verstehen

?

Verwenden Sie in Ihren Antworten möglichst die angegebenen Hilfen.

1. Warum ging Bettelheim als Kind manchmal gern ins Kino? (er/entfliehen wollen +Dat.)

2. Was bedeutete ihm das Kino? (Für ihn war ...)

3. Wie empfand er das alltägliche Leben manchmal? (empfinden als)

4. Was stört – nach Meinung des Autors – die Entwicklung der Kinder? (Es ist vor allem die Tatsache, daß ...)

5. Wie sollen – nach seiner Meinung – Kinder ihr Verlangen nach Tagträumen stillen? (... indem sie ...)

6. Was macht im Kino auf Kinder einen sehr großen Eindruck und erregt ihre Phantasie? (... werden fasziniert von ...)

7. Welche Einschränkungen macht der Autor in bezug auf die Darstellung von Gewalt? (Sie darf nicht ...)

8. Welche positive Wirkung soll die Darstellung von Gewalt auf die Kinder haben? (Die positive Wirkung beruht angeblich darauf, daß ...)

9. Sollen die Kinder nach Meinung des Autors Fernsehprogramme ansehen, sooft sie wollen? (Er ist der Meinung, daß ...)

10. Welche Art Sendungen sollte man Kinder – nach Bettelheims Meinung – lieber nicht ansehen lassen? Warum nicht? (Sogenannte ... sollte man ...)

11. Warum rät Bettelheim von Kindersendungen wie der „Sesamstraße" ab? (Weil sie ...)

12. Zu welchem Irrtum wird ein Kind ermutigt, wenn es eine Zahnpastareklame sieht? (Wenn das Kind glaubt, daß ...)

13. Welches Verhalten empfiehlt der Autor den Eltern zum Schluß? (... empfiehlt den ..., sich ... und ... zu sprechen.)

üben

I   Haben Sie Mut?

---

jdn. ermutigen – jdn. ermutigen – jdn. ermutigen – jdn. entmutigen – mutig sein –
mutlos sein/werden – den Mut haben – jdm. Mut machen

Setzen Sie die obigen Ausdrücke in die folgenden Sätze in der richtigen Form ein:

1. Der Autor _____ als Kind so _____ , gelegentlich
   aus dem strengen Elternhaus ins Kino zu entfliehen.

2. Eltern sollten – nach Meinung des Autors – _____ _____ _____ ,
   ihre Kinder auch Filme sehen zu lassen, in denen Gewalt vorkommt.

3. Bei mancher Reklame _____ das Kind _____
   _____ zu glauben, der Erfolg stelle sich von selbst ein.

4. Kinder _____ – so meint Bettelheim – in sogenannten
   Bildungsprogrammen _____ anzunehmen, daß man
   leicht und mühelos eine gute Bildung erhält.

5. Sie könnten dann leicht _____ und unzufrieden _____
   _____ , wenn der Erfolg ausbleibt.

6. Solche Filme _____ Kinder eher, als daß sie ihnen helfen.

7. Bettelheim _____ die Eltern, sich gelegentlich mit ihren
   Kindern zusammen Filme anzusehen, die diese gern sehen wollen.

8. Vielleicht _____ der Autor manchen Eltern _____ ,
   Kinder Programme sehen zu lassen, die sie bisher nicht sehen durften.

II *Setzen Sie die Aktivsätze ins Passiv, die Passivsätze ins Aktiv.*

1. Die Welt der Kinder wird zu sehr von den Erwachsenen beherrscht.
2. Auch Filme, in denen Menschen Gewalt ausüben, dürfen gezeigt werden. (Man ...)
   (Beide Teilsätze umformen!)
3. Solche Filme beeindrucken Kinder stark.
4. Wut und Ärger werden in der Phantasie abreagiert. (Die Kinder ...)
5. Lasterhafte oder grausame Gewalt wird von Bettelheim allerdings abgelehnt.
6. Bildungsprogramme sollten Kindern besser nicht gezeigt werden.

7. Es könnte mit diesen Filmen die Illusion geschaffen werden, ... (Man ...)
8. ... man könnte alles leicht und mühelos erlernen.
9. Die Eltern werden (vom Autor) aufgefordert, nicht alles zu verdammen, was Kindern Spaß macht. (Nur den 1. Teilsatz umformen!)
10. Manche Sendungen sollten von Eltern und Kindern gemeinsam angesehen werden.
11. Anschließend sollten sie darüber sprechen. (Ohne *sie*)

diskutieren

1. Der Psychologe Bruno Bettelheim hat sich nie gescheut, seine Leser oder Zuhörer vor den Kopf zu stoßen. Auch der vorliegende Text enthält einige provozierende Thesen. Lesen Sie den Text noch einmal.
   Mit welchen Behauptungen Bettelheims wären Sie, wenn Sie Kinder hätten, nicht einverstanden?
   a) Lesen Sie die Textstellen vor, und begründen Sie Ihre Gegenmeinung.
   b) Diskutieren Sie mit anderen darüber, die Bettelheims Ansicht für richtig halten.

2. Wenn Kinder zuviel fernsehen, macht Bruno Bettelheim nicht sie, sondern ihre Eltern dafür verantwortlich.
   Schlimm wird es nach Ansicht des Kinderpsychologen erst, wenn Erwachsene anfangen, das Fernsehen als Ausrede für ihre eigenen Unzulänglichkeiten zu benutzen. Etwa so: „Wir haben ja nie Zeit, etwas mit den Kindern zu machen, weil die immer vor der Glotze sitzen."
   a) Machen Sie Vorschläge, auf welche Weise die Eltern die Kinder davon abhalten könnten, dauernd fernzusehen.
   b) Ist Bettelheims Vorwurf der „Unzulänglichkeit" der Eltern gerecht?
   Bedenken Sie die alltägliche Situation von Eltern mit zwei Kindern, 6 und 4 Jahre alt, in einer 3 1/2-Zimmer-Wohnung, in einem Mietshaus an einer dichtbefahrenen Straße, ohne Garten.

3. Berichten Sie selbständig:
   a) über die Lebensumstände während Ihrer Kinderzeit. (Haus/Garten/Verwandte/ Kinderspiele ... Wie war das damals?)
   b) über einen Film, der Sie besonders beeindruckt hat.

4. Würden Sie den Untersuchungsergebnissen zustimmen, wonach Kinder ihre Wut beim Zuschauen in der Phantasie abreagieren können und dann keinen Drang mehr verspüren, in Wirklichkeit aggressiv zu sein.
   Oder würden Sie eher denen recht geben, die behaupten, Gewalt im Fernsehen erzeuge Gewalt in der Wirklichkeit?

a) Bilden Sie eine Pro- und eine Contragruppe, und diskutieren Sie.
b) Sehen Sie doch einmal in verschiedenen Wörterbüchern nach, was *Aggression* und *aggressiv* eigentlich genau bedeuten.

5. Interview
Eine Person spielt einen Journalisten / eine Journalistin und befragt den „Kinderpsychologen", den die Gruppe ausgewählt hat. Fragen Sie ihn
– nach seiner Kindheit, ob er sich auch an unangenehme Dinge erinnern kann,
– was er als Kind im Kino empfungen hat,
– was er über das Verhältnis zwischen Erwachsenen und Kindern denkt,
– was er von Gewalt im Film hält, besonders, wenn Kinder diese Filme ansehen,
– was er davon hält, daß Kinder jede beliebige Sendung sehen,
– welche Fernsehprogramme er für Kinder geeignet bzw. ungeeignet hält
– und welchen Rat er den Eltern mit auf den Weg geben möchte.

Der „Kinderpsychologe" könnte folgende Wendungen benützen:
Also, wenn ich an meine Kindheit denke, dann muß ich sagen, daß / Ich muß gestehen, daß / Ich bin der Meindung, daß / Ich würde sagen, / Ich halte Bildungsprogramme für / Meiner Meinung nach sollten ...

Wie sich die Leichen gleichen

SOHN: Papa, Charly hat gesagt, sein Vater hat gesagt, die sollten mal einen Leichenzähler anstellen!

VATER: Einen Leichenzähler? Was kommt denn da schon wieder für ein Un-
5 sinn auf mich zu ...

SOHN: Gar kein Unsinn. Die würden nämlich selber ganz schön staunen, was da bei uns zusammenkommt jeden Tag!

VATER: Was gibt's denn da zu staunen?
10 Menschen werden geboren und Menschen sterben; und jeder Todesfall wird amtlich registriert. Und damit auch gezählt.

SOHN: Ich mein doch nicht die Menschen, die in echt sterben! Ich mein doch die Fernsehleichen. In den Filmen! 15

VATER: Dann sag das doch gleich! Daß du das auch nicht lernst ...

SOHN: Jedenfalls – Charly und ich und Sabine, wir haben mal einen ganzen Abend lang die Fernsehtoten gezählt, und ... 20

VATER: Moment mal – willst du sagen, ihr habt bis in die Nacht vor dem Fernseher gehockt und sämtliche Krimis, Thriller und Gruselfilme angesehen? Und wo? Bei uns kann sich das ja nicht abgespielt haben! 25

SOHN: Jeder hat natürlich bei sich zu Hause geguckt; und jeder ein andres Programm. Sonst wär's ja gar nicht gegangen.

VATER: Bis zum Sendeschluß? Dir haben

30 wir das mit Sicherheit nicht erlaubt!

SOHN: Ach, Papa, jetzt mach doch nicht soviel Wind ... das war am Sonnabend, und ihr wart irgendwo eingeladen.

VATER: Dann weiß ich ja wenigstens, was
35 du treibst, wenn wir mal einen Abend außer Haus sind. Das werde ich mir merken ...

SOHN: Anders hätten wir die Leichen doch nicht rausgekriegt. Und jetzt rate mal, wieviel das waren. An einem Abend!

40 VATER: Interessiert mich wirklich nicht. Also ... wie viele waren es?

SOHN: Siebenundzwanzig! Siebenundzwanzig Leichen an einem einzigen Abend!

45 VATER: Na ja ... da habt ihr eben gerade einen schlechten Tag erwischt. War bestimmt ein Western dabei, wie?

SOHN: So was Ähnliches, ja. Aber, Papa, wir haben nicht mal die Vormittags- und
50 Nachmittagssendungen angeguckt!

VATER: Das hätte ich auch zu verhindern gewußt, worauf du dich verlassen kannst!

SOHN: Kann man ja sowieso nicht aushalten, soviel Fernsehen. Und deswegen müß-
55 ten sie eben einen Leichenzähler anstellen. Oder eigentlich drei; nein, eigentlich neun – damit sie sich ablösen können.

VATER: Ja, Ja ... Und nun rate du mal, warum dieser so unerhört spannende Beruf
60 noch nicht erfunden ist!

SOHN: Weil er zu gruselig ist.

VATER: Weil kein Mensch an dem Ergebnis interessiert ist ...

SOHN: Nee, aber du könntest ja mal an die
65 Programmleute schreiben – daß sie ein bißchen sparsamer sein sollen mit ihren Erschossenen, Erwürgten, Erstochenen, Er...

VATER: ... Dein Vertrauen ehrt mich, aber so ein Brief dürfte kaum dazu führen, daß
70 statt des nächsten Krimis „Rosenresli" ausgestrahlt wird!

SOHN: Charlys Vater sagt aber, wenn die Leute jeden Tag Mord und Totschlag vorgesetzt kriegen, dann können sie überhaupt nicht mehr unterscheiden! 75

VATER: Was nicht mehr unterscheiden?

SOHN: Fernsehleichen und richtige. Und wenn sich Menschen irgendwo in echt totschießen, dann ist ihnen das auch egal.

VATER: Das ist ja mal wieder eine tollküh- 80 ne, unverantwortliche Behauptung!

SOHN: Aber wenn's doch alle so spannend finden?! Charlys Vater sagt, die meisten gucken sich die Nachrichten schon an wie 'nen Krimi und machen sich gar nichts 85 draus!

VATER: Und ich sage dir: Jeder normale Mensch kann Fernsehen und Wirklichkeit auseinanderhalten!

SOHN: Die ist doch auch im Fernsehen, 90 die Wirklichkeit. Sitzt man doch genauso im Sessel und guckt zu.

VATER: Aber man denkt sich doch was ganz anderes dabei!

SOHN: Was denn? 95

VATER: Man denkt natürlich, wie schrecklich es ist, wenn Menschen sich gegenseitig umbringen.

SOHN: Könnte man sich bei den Krimilei-
100 chen doch auch denken.

VATER: Das tut man ja auch – wenn der
Film gut gemacht ist. Man ist immer betroffen, wenn es – auf der „guten" Seite –
Tote gibt ... wenn also Menschen, die das
105 Richtige wollen, sterben müssen.

SOHN: Und wenn die Bösen sterben, dann
tut es einem nicht leid, oder?

VATER: Das liegt ja wohl in der Natur der
Sache.

110 SOHN: Aber das ist gerade das Gefährliche, sagt Charlys Vater. Daß den Leuten
immer nur die halben Leichen leid tun!

VATER: Wie bitte??

SOHN: Ich meine, die Leichen auf der
115 einen Hälfte ... auf der einen Seite!

VATER: Warum sollte eine solche Diffe-
renzierung gefährlich sein? Diese ganzen
Filme sind doch im Grunde nur eine Wei-
terentwicklung der alten Kindermärchen:

das Gute siegt, das Böse stirbt. Und alle 120
sind zufrieden. So einfach ist das.

SOHN: In der Politik ist das aber nicht so
einfach!

VATER: Das sagt ja auch keiner!

SOHN: Manch einer sagt das schon. Und 125
denken tun das ganz viele, sagt Charlys Vater – daß auf der anderen Seite bloß die Bösen sind und daß man die ruhig alle umbringen kann. Wie im Western.

VATER: Charlys Vater hält sich mal wie- 130
der für den einzigen denkenden Menschen
auf dieser Erde, wie?! Aber das ist er Gott
sei Dank nicht! Über eine so primitive Ver-
einfachung ist man in unserer Zeit weit hinaus!   135

Pause

SOHN: Wär' ja schön, wenn's wahr wär',
Papa ...

Nach: *Papa, Charly hat gesagt ...* Band 6, rororo 1985.

diskutieren

1. Wie reagiert der Vater in dem vorliegenden Text auf die Fragen seines Sohnes? – Ver-
    suchen Sie den Vater zu charakterisieren.

2. Wie ist das Verhältnis zwischen dem Vater und dem Sohn?

3. Warum lernt der Leser Charlys Vater nie kennen? In allen Gesprächen berichtet nur
    der Sohn, was dieser gesagt hat. – Wessen Ansichten vertritt Charlys Vater?

4. Meinen Sie auch – wie der Vater in diesem Text –, daß die Fernsehzuschauer zwischen
    „wirklichen" Leichen und „Filmleichen" unterscheiden? – Wie sind Ihre eigenen Er-
    fahrungen?

5. Wäre es besser, wenn das Fernsehen nur noch Filme sendete, in denen alle Konflikte
    gewaltlos gelöst würden? Bedenken Sie die erzieherische Wirkung des Fernsehens! –
    Was spricht dafür, was dagegen?

6. Auch von Künstlern, z.B. Dichtern, Malern, Theater- und Filmregisseuren werden oft äußerst häßliche und grausame Szenen dargestellt. – Warum?

7. Die Freiheit der Kunst ist garantiert. Trotzdem ist es immer wieder zu Fehlurteilen und Verboten gekommen. – Kennen Sie Beispiele? Kennen Sie die Gründe?

8. Auf die „Freiheit der Kunst" berufen sich auch die Produzenten von Sex- und Gewaltfilmen und ebensolchen Texten und Bildern. – Wer soll entscheiden, was *Kunst* oder was *Geschäft* ist?

spielen

1

2

3

4

5

1. Betrachten Sie die einzelnen Bilder genau. Was spielt sich in den Bildern 2 und 3 ab? Was in Bild 4? Wie ist die Reaktion? (Bild 5) Worin liegt der Witz?

2. Was etwa könnten die Beteiligten gesagt haben?

3. Entwerfen Sie einen Text, den Sie dem Disput in den Bildern 2 bis 5 zuordnen.

4. Spielen Sie die Szene.

Die Folgen einer Scheidung für Kinder

Jede dritte Ehe wird hierzulande geschieden, in Großstädten ist es sogar jede zweite. Jedes Jahr sind etwa hunderttausend Kinder betroffen, die meisten in einem Alter, in
5 dem sie die tiefe Erschütterung, die seelischen Nöte und Ängste nicht aus eigener Kraft bewältigen können. Kinderlose Ehepaare können sich vor dem Scheidungsrichter verabschieden und mehr oder weni-
10 ger unbesorgt einem neuen Lebensabschnitt entgegengehen. Anders, viel schwieriger wird es für die Kinder. Um sie, genauer: um das Recht, für sie zu sorgen, wird nicht selten erbittert gestritten.
15 Wo es in erster Linie um das Wohl des Kindes gehen sollte, wird oft „schmutzige Wäsche gewaschen", wird versucht, dem anderen nachzuweisen, daß er oder sie einen schlechten Charakter hat und zur Er-
20 ziehung der Kinder ungeeignet ist. Daß Kinder in so einer unstabilen Lebenssituation die Leidtragenden sind, war der Grund dafür, daß Psychologen, Sozialpädagogen und Sozialarbeiter vor zwei Jah-
25 ren in München die IETE gründeten.
IETE steht für „Intakte Elternschaft trotz Ehescheidung". Das Hauptziel der IETE ist es, für das Weiterbestehen der Familie eine Lösung zu finden. „Wir möch-
30 ten, daß beide, Mutter und Vater, auch nach der Scheidung für das Kind da sind.

Sie sollen versuchen, die negativen Folgen einer Scheidung soweit wie möglich aufzufangen", beschreibt ein Sozialpädagoge bei der IETE die Ziele der Initiative.
35 In Gesprächen und bei Spielen mit den betroffenen Kindern stellten Pädagogen und Psychologen immer wieder fest, daß Kinder in zerrütteten Ehen der größten Belastung ausgesetzt sind. Hin und her geris-
40 sen zwischen Vater und Mutter, bemühen sich die Kinder, beiden gerecht zu werden, ja: zwischen beiden Eltern zu vermitteln. Dabei werden sie zumeist von den elterlichen Problemen so in Anspruch genom-
45 men, daß ihnen für die eigene Entwicklung kein Raum mehr bleibt. Im Beratungsgespräch bei der IETE werden sie ermutigt, das „fatale Versteckspiel" zu durchbrechen: Allein oder im Beisein der Eltern re-
50 den die meisten wahrscheinlich zum erstenmal über das Thema, das sie zutiefst beschäftigt. Die Mitarbeiter machten die Erfahrung, daß Kinder mit der schmerzlichen Trennung viel eher fertig werden, wenn sie
55 wissen, daß sie den weggezogenen Vater oder die weggegangene Mutter auf jeden Fall zu bestimmten Zeiten sehen können. „Kinder brauchen diese Sicherheit und die gewachsene Beziehung. Eltern müssen
60 wissen, daß die Kinder sie beide behalten wollen", erklärt ein Pädagoge.

Nach: *Hin und her gerissen*, Deutsches Allgemeines Sonntagsblatt

betroffen sein von die Auswirkungen von etwas Unangenehmem an sich erfahren

die Erschütterung *hier:* schwerer seelischer Schock

erbittert *hier:* sehr heftig

in erster Linie vor allem

unstabil unbeständig

der Leidtragende, -n der Betroffene (vgl. oben)

der Sozialpädagoge, -n Erzieher, der in außerschulischer Arbeit z.B. Kinder und Jugendliche, die in Schwierigkeiten geraten sind, betreut und berät

der Sozialarbeiter, - jd., der in der Fürsorge tätig ist

intakt heil; funktionierend

die Initiative, -n *hier:* Interessengemeinschaft, Verein

zerrüttet zerbrochen

vermitteln zwischen bei einem Streit versuchen, Frieden zu stiften

jdn. in Anspruch nehmen *hier:* geistig-seelisch beschäftigen

jdn. ermutigen jdm. Mut machen

fatal *hier:* verhängnisvoll

im Beisein in Anwesenheit

verstehen

?

Antworten Sie mit Ihren eigenen Worten.

1. Was wird über die Scheidungsrate ausgesagt?

2. Wie viele Kinder sind von der Scheidung der Eltern betroffen, und wie nehmen sie diese Veränderung auf?

3. Wieso ist die Scheidung für kinderlose Ehepaare viel unproblematischer?

4. Worüber gibt es oft Streit bei Scheidungen von Eltern mit Kindern?

5. Warum wird da oft „schmutzige Wäsche" gewaschen? Was bezwecken die Eltern damit?

6. Was ist also unter dem Ausdruck „schmutzige Wäsche waschen" zu verstehen?

7. Welche Motive führten zur Gründung der IETE? Welche Ziele hat die Organisation?

8. Welche Feststellungen machen die Sozialpädagogen häufig bei Kindern aus zerrütteten Ehen?

9. Wie verhalten sich die Kinder aus solchen Ehen oft gegenüber ihren Eltern?

10. Was ist gemeint mit der Aufforderung, „das Versteckspiel zu beenden"?

11. Unter welcher Bedingung können die Kinder die Trennung der Eltern leichter ertragen?

üben

I   Wortfamilie *scheiden*

> sich scheiden lassen – geschieden werden – geschieden sein
> in Scheidung leben (der Scheidungsprozeß läuft)
> jd. (der Scheidungsrichter) hat die Ehe / das Ehepaar geschieden
> ein geschiedener Mann / eine geschiedene Frau
> er/sie ist von uns geschieden (= gestorben)
> er/sie ist aus dem Leben geschieden (= gestorben)
> wir sind als Freunde / Freundinnen geschieden (= haben uns ... getrennt)
> er/sie ist aus dem Amt geschieden (hat das Amt niedergelegt)

Ergänzen Sie die Sätze sinngemäß. Versuchen Sie, die obigen Ausdrücke zu verwenden.

1. Mein Bruder und seine Frau wollen ... (sich für immer trennen).
2. Hans und Liesel sind gestern ... (sie haben den Scheidungsbescheid).
3. Unser Nachbar ist nach langer Krankheit ...
4. Georg und ich haben uns wieder mal heftig gestritten, aber ...
5. Meine Tante und auch ihr Mann sind beide schon zweimal ...
6. Das Ehepaar, das über uns wohnt, hatte sich voriges Jahr ..., jetzt haben sie sich wieder verheiratet.
7. Das Gericht hat die Ehe nach langem Zögern ...
8. Mit Erreichen des 65. Lebensjahres ist mein Onkel ... Er ist jetzt Pensionär.
9. Herr Maier, der sich von seiner Frau hatte ..., hat eine ... Frau geheiratet; nun haben sie Kinder aus drei verschiedenen Ehen.
10. Mein Freund ist von zu Hause ausgezogen und lebt zur Zeit bei uns. Er und seine Frau leben ...

II   Mit *sollten* wird oft Erwartung, Wunsch und Erfordernis ausgedrückt.

> Es *sollte* in erster Linie um das Wohl des Kindes gehen. (Z. 15)

Üben Sie nach folgendem Muster:

> A: Kümmern die Eltern sich denn zu wenig um die Kinder? (Ja leider)
>
> B: Ja leider, sie *sollten* sich viel mehr um die Kinder kümmern.

1. Spielen denn Eltern und Kinder immer noch das fatale Versteckspiel? (Leider, ... beenden)
2. Haben die Kinder denn nicht die Sicherheit, daß sie ihre Eltern auch nach der Scheidung behalten? (Ich weiß es nicht, sie ... auf jeden Fall ...)
3. Können die Kinder ihren weggezogenen Vater / ihre weggezogene Mutter denn nicht besuchen? (... auf jeden Fall die Möglichkeit haben, ...)
4. Haben die Kinder denn nicht die Gewißheit, daß ihre Eltern auch nach der Scheidung um sie besorgt sind? (Auf jeden Fall ...)
5. Sind die Kinder denn nicht die Leidtragenden in einer zerrütteten Ehe? (... auf keinen Fall ...)
6. Geht es den Eltern bei einer Scheidung nicht in erster Linie um das Wohl der Kinder? (...; leider ist das oft nicht der Fall.)
7. Wird den Kindern, die sich infolge der Scheidung in seelischen Nöten befinden, nicht von Sozialpädagogen geholfen? (Den Sozialpädagogen sind die Fälle oft nicht bekannt, im Prinzip ... natürlich ...)
8. Werden die Kinder denn vom Scheidungsrichter dem Elternteil zugesprochen, das die größere Bindung zu den Kindern hat? (Natürlich ..., aber wie will er das herausfinden?)
9. Erhält nicht in der Regel, nämlich zu 85 Prozent, die Mutter das Sorgerecht für die Kinder? (Das stimmt, aber ... von dieser Regel abkommen.)

diskutieren

1. Versuchen Sie sich die Reaktion eines Kindes von geschiedenen Eltern in alltäglichen Situationen vorzustellen, z.B.,
   – wenn die Lehrerin sagt: „Was ein Anlasser ist, hat euch euer Vater bestimmt schon erklärt."

– wenn die Hausfrau nach dem Kindergeburtstag sagt: „Jeder darf zwei Stück Kuchen mitnehmen, eins für den Vater und eins für die Mutter."
– wenn die Wirtin in der Ferienpension fragt: „Ja, wo bleibt denn die Mutter? Ist sie vielleicht krank?"
– wenn der Kaufmann an der Ecke sagt: „Sei vorsichtig mit den Eiern, und grüß deine Eltern."
Erfinden Sie ähnliche Situationen, und spielen Sie sie.

2. Die meisten solcher Initiativen wie IETE werden von engagierten Bürgern gegründet, die – oft aus eigener unglücklicher Erfahrung – den Wunsch haben, anderen in ähnlicher Situation zu helfen.
Es gibt entsprechende Gruppen z.B.
– für Krebskranke oder Behinderte im Rollstuhl
– für Opfer von Raubüberfällen, die einen psychischen Schock erlitten haben
– für Eltern mit seelisch gestörten oder behinderten Kindern usw.

a) Würden Sie selbst in so einer Gruppe – freiwillig und ohne Bezahlung – mitarbeiten? Welche Voraussetzungen wären dazu nötig? Könnte ein solcher Einsatz auch für Sie selbst hilfreich sein?
b) Stellen Sie sich vor, daß ein Hilfesuchender bei einer der genannten Initiativen anriefe und um Rat bäte, weil er mit seinen Schwierigkeiten selbst nicht mehr fertig wird. Wie könnte seine Vorgeschichte sein? – Berichten Sie von eigenen oder gehörten Erlebnissen. Einigen Sie sich auf einen bestimmten Fall. – Welchen Rat und welche Hilfe könnte eine Initiative dann geben?

Wenn das Kind die Neugier verliert

Ob sich ein Mensch mit Selbstvertrauen, Spaß und Bemühen der noch unbekannten Welt zuwendet oder auf neue Situationen jeweils vorsichtig oder zurückhaltend und 5 ängstlich reagiert, hängt zu einem großen Teil von den früheren, möglicherweise den allerersten Umwelterfahrungen ab ... Bereits im Babyalter werden die Weichen für die spätere Bereitschaft gestellt, sich selbständig mit einer Sache zu beschäftigen. 10

Im Verlauf der Entwicklung kommt es darauf an, wie die Umwelt auf die frühen Explorations-Tendenzen des Kindes – seine Neugier – reagiert, etwa im Krabbelalter, wenn es damit beginnt, Regale auszuräumen, Tischdecken herunterzuziehen, die 15 „schönsten" Spielsachen zu verschmieren, zu zerbrechen oder zu zerbeißen. Viele Eltern fühlen sich jetzt aufgerufen, in scheinbar bestem Sinn erzieherisch zu wirken: 20

Das Kind wird in den Laufstall gesperrt, weil es dort vor den „gefährlichen" Sachen sicher ist (oder umgekehrt?), es wird zu Sauberkeit und Ordnung ermahnt, und es
25 erfährt, daß es „böse" und „ungezogen" ist, wenn es gegen Vorschriften verstößt. Wahrscheinlich wird vielen „ordentlich" erzogenen Kindern bereits in dieser Entwicklungsphase die Lust an eigenen Inter-
30 essen gründlich ausgetrieben. Die Folgen liegen auf der Hand: Das Kind verliert die Neugier auf die selbstbestimmte Auseinandersetzung mit seiner Umwelt. Damit sinkt die Bereitschaft zu lernen ...
35 In der Kindheit wird der Grundstein für spätere Interessen gelegt. Voraussetzungen sind:
– die Fähigkeit, sich angstfrei und freudvoll der Umwelt zuzuwenden,
40 – das Vertrauen in die eigene Kompetenz bei der Bewältigung neuer Situationen,
– die Orientierung des Handelns an selbstgesetzten Zielen und
– die Fähigkeit, sich von attraktiveren Zu-
45 fallsreizen unabhängig zu machen.
Erst in späteren Entwicklungsphasen werden bestimmte Interessensgegenstände festgelegt. Zwar gibt es Menschen, die sich schon relativ früh auf einem Gebiet profi-
50 lieren (Künstler, Wissenschaftler), doch meistens haben die Interessen der Kindheit zum Kummer der Eltern nur ein kurzes Leben. Es wird mal dieses, mal jenes ausprobiert. Ein mit Begeisterung begonnenes

Vorhaben ist schnell vergessen und wird 55 vielleicht erst später mit neuer Perspektive wieder aufgegriffen. Doch die Sorgen von Eltern und Erziehern darüber, daß Kinder häufig und scheinbar leichtfertig die Dinge aufgeben oder wechseln, ist oft unbegrün- 60 det. Betrachtet man die Interessenänderung aus der Sicht des Kindes, wird nicht selten eine frappierende Kontinuität in der Wahl der Gegenstände deutlich. Ein Beispiel aus unseren Erhebungen: 65
Peter – ein fünfzehnjähriger Gymnasiast – hat früher, wie viele andere Jungen seines Alters, intensiv mit Fischer-Technik-Bausteinen gespielt und daraus recht komplizierte technische Geräte mit elektrischem 70 Antrieb gebaut. Seit zwei Jahren ist Fischer-Technik „out", denn jetzt besitzt er einen Home-Computer, der ihn fasziniert, einerseits wegen der Computerspiele, andererseits wegen der vielfältigen Program- 75 miermöglichkeiten. Eines Tages erfährt er etwas über Möglichkeiten der Robotersteuerung und wünscht sich ganz dringend ein „Interface" – ein „elektrisches Schatzkästchen", mit dem elektrische Schaltun- 80 gen per Computer gesteuert werden können. Der Wunsch wird erfüllt, und plötzlich ist Fischer-Technik wieder „in", und es gibt nichts Aufregenderes für ihn, als den neugebauten Fischer-Technik-Roboter mit 85 Hilfe selbstentwickelter Computerprogramme komplizierte Bewegungen ausführen zu lassen.

Nach: Krapp / Schiefele, *Haben Sie Interesse!* PSYCHOLOGIE HEUTE

das Selbstvertrauen Glaube an die eigene Kraft, die eigenen Fähigkeiten

die Weichen stellen *hier:* Entscheidungen fällen

selbständig ohne fremde Hilfe

die Explorations-Tendenzen *hier:* die Entwicklung, die Umgebung zu erforschen, zu untersuchen

das Krabbelalter (von krabbeln = auf Armen und Beinen herumkriechen) etwa die 2. Hälfte des 1. Lebensjahres

der Laufstall, ̈-e *hier:* quadratisch aufgestelltes Holzgitter, etwa 1,5 x 1,5 m

jdm. etwas austreiben jdm. etwas abgewöhnen, jdn. durch strenge Maßnahmen dazu bringen, von etwas abzulassen

die Kompetenz, -en *hier:* Fähigkeit

die Bewältigung das „Fertigwerden" mit einer schwierigen Aufgabe

profilieren *hier:* Fähigkeiten entwickeln und dabei Anerkennung finden

der Kummer *hier:* Sorge in Hinsicht auf die Zukunft

das Vorhaben Plan

die Perspektive, -n *hier:* Aussicht für die Zukunft

frappierend überraschend

die Kontinuität Stetigkeit, Fortdauer

die Erhebung, -en statistische Untersuchung / Befragung

der Home-Computer Heim-Computer (im Gegensatz zu dem teuren Büro-Computer)

fasziniert sein sehr stark interessiert, „gefesselt" sein

verstehen

Nur ein Teil der folgenden Aussagen zum Text ist richtig. Kreuzen Sie bitte die richtigen Aussagen an.

?

1. Der Autor meint, daß bestimmte Verhaltensweisen zu einem großen Teil in der frühesten Kindheit entschieden werden.   ❑

2. Die Entscheidung, ob sich ein Kind mit einer Sache selbständig beschäftigen kann oder nicht, wird erst später getroffen.   ❑

3. Nach Meinung des Autors ist es falsch, kleine Kinder an der Erforschung ihrer Umgebung zu hindern.   ❑

4. Dadurch, daß man dem Kleinkind erlaubt, seine Umwelt zu erforschen, werde es „ordentlich" erzogen, meint der Autor.   ❑

5. Kinder, die viel in den Laufstall gesperrt und schon sehr früh zu Ordnung und Sauberkeit erzogen würden, verlören damit auch das Interesse, sich mit der Umwelt auseinanderzusetzen.   ❑

6. In der Kindheit würden wichtige Voraussetzungen für spätere Interessen geschaffen.   ❑

7. Wenn Kinder sehr schnell das Interesse an der Beschäftigung mit einem Spielzeug verlieren, so sei das das Zeichen einer gefährlichen Entwicklung.   ❑

8. Daß Kinder plötzlich das Interesse an einem Spielzeug verlieren, bereite vielen Eltern oft Kummer.   ❑

9. Daß Kinder oft leichtfertig Dinge aufgeben und sich anderen Interessen zuwenden, sei eine ganz normale Sache, meint der Autor.   ❑

10. In dem angeführten Beispiel vom fünfzehnjährigen Peter zeigt sich, daß der Junge sich immer wieder mit neuen Basteleien und Spielen beschäftigt und auf sein altes Spielzeug nicht zurückkommt.   ❑

üben

I *Verbinden Sie die Satzteile zu vollständigen Sätzen. Welche Verb-Präposition-Verbindung können Sie einsetzen?*

1. abhängen von / davon abhängen, daß / davon abhängen, wie / davon abhängen, ob (vgl. Z. 5)

   a) wichtige Entwicklungen eines Kindes – möglicherweise von allererstenen Umwelterfahrungen
   b) ob ein Kind bereit ist, sich mit einer Sache zu beschäftigen oder nicht – die Weichen im Babyalter gestellt werden
   c) ob und wie stark ein Kind Interesse an der Umwelt entwickelt – es die Umwelt erkunden kann

2. sich beschäftigen mit / sich damit beschäftigen + *Inf.* (vgl. Z. 10)

   a) wenn ein Kind ins Krabbelalter kommt – seine Umwelt erforschen
   b) ein im Laufstall eingesperrtes Kind – mit seiner Umwelt (nicht können)
   c) Peter – aus Bausteinen komplizierte Geräte und Maschinen bauen

3. sich aufgerufen fühlen zu / sich dazu aufgerufen fühlen + *Inf.* (vgl. Z. 19)

    a) die Eltern – erzieherische Maßnahmen anwenden
    b) die Eltern – das Kind von gefährlichen Handlungen abhalten
    c) die Psychologen – die Eltern vor dem Verlust der kindlichen Neugier warnen

II   *Erinnern Sie sich noch an folgende Ausdrücke im Text?*

1. Im Babyalter werden bereits die _____ gestellt für die spätere Bereitschaft, sich selbständig mit einer Sache zu beschäftigen.

2. Im _____ der Entwicklung kommt es darauf an, wie die Umwelt auf
die Neugier des Kindes reagiert.

3. Wenn das Kind gegen die Vorschriften _____ , gilt es als „böse" und
„ungezogen".

4. In der Kindheit wird der _____ für spätere Interessen gelegt.

5. Natürlich gibt es Menschen, die sich früh auf einem Gebiet _____ .

6. Oft haben die Interessen der Kindheit zum _____ der Eltern ein kurzes Leben.

7. Betrachtet man die Interessenänderung aus der _____ des Kindes,
wird sehr oft eine erstaunliche Kontinuität deutlich.

8. Der Junge läßt den Roboter mit _____ selbst entwickelter Computerprogramme komplizierte Bewegungen ausführen.

III   *Sie dürfen jetzt alles kaputtmachen.*

1. Ihre Spielsachen dürfen Sie zer _____ und
zer _____ ,

2. die Zigarette mit dem Fuß zer _____ ,

3. das Glas mit dem Hammer zer _____ ,

4. die Kartoffel im Kochtopf auf dem Herd zer _____ ,

5. den Baumstamm mit der Säge zer _____ und schließlich

6. das Fleisch mit dem Messer zer _____ .

IV *Adjektive aus Substantiven (Kleinschreibung beachten!)*

-frei

> frei von Angst → angstfrei

frei von Steuern / von Keimen / von Atomwaffen / von Fehlern / von Fieber / von Schulden / von Blei / von Schwindel (!) / von Zoll / von Alkohol / von Staub usw.

-voll

> voller Freude → freudvoll

voller Liebe / Leid / Würde / Mühe / Phantasie / Qual / Humor / Mitleid (-s)/ Kraft / Wert usw.

V *Bilden Sie nun Sätze mit den entstandenen Adjektiven.*

VI *Üben Sie nach folgendem Muster:*

> Im Krabbelalter räumen die Kinder gern Regale aus. (beginnen)
>
> Im Krabbelalter beginnen die Kindern gern, Regale auszuräumen.

1. Im Krabbelalter ziehen die Kinder Tischdecken herunter und verschmieren Spielsachen. (anfangen)
2. Die Eltern wirken im besten Sinn erzieherisch. (sich aufgerufen fühlen)
3. Sie sperren das Kind in den Laufstall. (es für richtig halten)
4. Sie ermahnen das Kind zu Sauberkeit und Ordnung. (es für notwendig halten)
5. Sie treiben den Kindern die Lust am eigenen Interesse aus. (auf dem besten Weg sein)
6. Das Kind verliert die Neugier auf die selbstbestimmte Auseinandersetzung mit seiner Umwelt. (beginnen)
7. Das Kind soll sich angstfrei und freudvoll der Umwelt zuwenden. (in der Lage sein)
8. Es soll sich von Zufallsreizen unabhängig machen. (fähig sein)
9. Künstlerisch oder wissenschaftlich besonders begabte Kinder profilieren sich schon sehr früh auf bestimmten Gebieten. (gelingt es)

10. Die meisten Kinder probieren mal dies, mal jenes aus. (beginnen)
11. Sie vergessen ein begonnenes Vorhaben sehr schnell wieder. (dazu neigen)
12. Häufig nehmen die Kinder eine früher begonnene Tätigkeit später in anderer Form wieder auf. (den Hang haben)

diskutieren

1. Die folgende Geschichte wird gelegentlich erzählt, wenn man über „typisch deutsche" Kindererziehung spricht:

   Ein kleiner Junge hat sich in einem Kaufhaus verlaufen und weint. Eine freundliche Verkäuferin fragt ihn:
   „Wie heißt du?"
   „Thomas!"
   „Und wie weiter?"
   Der Junge schweigt. Auch die Wörter *Nachname* und *Familienname* versteht er offensichtlich noch nicht.
   Die Verkäuferin versucht es anders:
   „Wenn deine Mutter ‚Thomas' sagt, was sagt sie dann hinterher?"
   Jetzt scheint der Kleine zu verstehen:
   „Thomas! Laß das!"

   a) Was ist an dieser Geschichte „typisch deutsch"?
   b) In welchem Zusammenhang steht sie zu dem vorliegenden Text?
   c) Gibt es außer Erziehungsmaßnahmen noch andere Gründe, weswegen besonders den kleinen Kindern so vieles verboten wird? – Lesen Sie dazu die folgende Bemerkung:

   Eine Mutter klagt: „Keinen einzigen Augenblick darf ich meine Kinder aus den Augen lassen ... In der Wohnung fressen sie meinen Lippenstift, trinken Spülmittel oder untersuchen die Steckdosen. Draußen rennen sie Hunden und Tauben nach – quer über die Straße ... Und wenn was passiert, bin ich schuld!"

2. Eine andere Kritik an der heutigen Erziehung lautet etwa so: „Die Kinder werden verwöhnt. Sie bekommen alles, was sie sich wünschen."
   a) Dazu gibt der Text ein Beispiel. Welches?
   b) Ist die Kritik berechtigt, wenn Sie an die Ausführungen im Text denken?
   c) Ist die Kritik ganz allgemein berechtigt? – Bedenken Sie die Vor- und Nachteile eines solchen Erziehungsstils. Besprechen Sie Ihre Ansichten.

Neues aus der Zwillingsforschung

Welche Erbanlagen ein Mensch von seinen Eltern mitbekommt, wird schon bei der Befruchtung der mütterlichen Eizelle unabänderlich festgelegt. Sichtbar wird das
5 vor allem an der körperlichen Entwicklung: Ob Junge oder Mädchen, ob hell- oder dunkelhäutig, ob hochgewachsen oder klein – all das wird bei der Vereinigung von Ei- und Samenzelle für das ganze
10 Leben bestimmt.

Vom Moment seiner Zeugung an beginnt aber auch die Umwelt auf ihn einzuwirken: Ob die werdende Mutter sich und ihr ungeborenes Kind gut ernährt oder ob
15 sie hungert, ob sie raucht oder trinkt, ob seine erwachenden Sinne dem Ungeborenen ein geruhsames oder gestreßtes Leben „draußen" signalisieren – die Umwelt hinterläßt in der Entwicklung eines Menschen
20 frühzeitig ihre Spuren.

Erst recht untrennbar sind die Einflüsse von Erbe und Umwelt im weiteren Leben miteinander verbunden. Mit seinen Erbanlagen allein, ohne das ständige Einwirken
25 von Sinnesreizen aus der Umwelt, könnte kein Mensch leben, lernen und sich entwickeln, aber die Frage, welchen Anteil angeborene und welchen erworbene Fähigkeiten haben, ist bis heute noch ungeklärt. –
30 Hat einer nur deshalb einen hohen Intelligenzquotienten, weil er von intelligenten Eltern abstammt? Oder haben ihn erst das geistig anregende Milieu des Elternhauses und eine gute Schule so klug gemacht? Ist
35 einer kreativ oder phantasielos, fleißig oder faul, treuherzig oder falsch, extravertiert oder in sich gekehrt, weil ihm das angeboren ist? Oder haben ihn erst seine Lebensumstände und seine Mitmenschen so geformt?

40 Um einer Antwort auf diese Fragen näher zu kommen, haben sich Forscher immer wieder mit dem Lebenslauf eineiiger Zwillinge beschäftigt. Eineiige Zwillinge entstehen aus der eigentlich unprogramm-
45 gemäßen Spaltung einer befruchteten Eizelle, sie besitzen deshalb stets dieselben Erbanlagen und sind die einzige Ausnahme von der Regel, daß jeder Mensch mit anderen Genen ausgestattet ist. Trotz vieler be-
50 merkenswerter Ergebnisse dieser Zwillingsforschung, bei der erstaunliche Parallelen im Verhalten und Schicksal der eineiigen Geschwisterpaare festgestellt wurden, darf eines nicht übersehen werden:
55
Fast immer sind diese Zwillinge auch in derselben Umwelt aufgewachsen, so daß nicht auszuschließen ist, daß sie ihre gleiche Prägung einfach aus demselben Milieu
60 bezogen oder sich gegenseitig beeinflußt haben. Der nächste Schritt zur Beantwortung der obengenannten Fragen war nun, den Lebenslauf von getrennt aufgewachsenen eineiigen Zwillingen zu untersuchen.
65 Die erstaunlichsten Ergebnisse dazu veröffentlichte 1979 der amerikanische Psychologe Thomas J. Bouchard, Professor an der Universität von Minnesota. Es ist die unglaubliche Lebensgeschichte der „Jim-
70 Zwillinge": Jim Lewis und Jim Springer.

Nicht nur, daß sie einander zum Verwechseln ähnlich waren und denselben Vornamen trugen. Beide Jims hatten auch Frauen mit demselben Vornamen Linda geheiratet und sich wieder von ihnen scheiden lassen. Beide heirateten zum zweiten Mal, und wieder Frauen mit demselben Vornamen: Betty. Einer der Jims nannte seinen ersten Sohn James Allen, der andere den seinigen James Alan. Beide hatten früher Hunde mit dem Namen Toy besessen, beide hatten im gleichen Job als Tankstellenwärter und Hilfssheriff gearbeitet. Beide Jims beschäftigten sich gern mit Rechenaufgaben, beide zimmerten ihre Möbel selbst, beide waren Kettenraucher und rauchten dieselbe Marke, beide kauten an den Fingernägeln, und beide schluckten auch dasselbe Beruhigungsmittel. – Doch das Verrückteste an den Jim-Zwillingen war, daß sie sich gar nichts abgucken konnten: Schon im Säuglingsalter von verschiedenen Eltern adoptiert und an verschiedenen Orten aufgewachsen, waren sich die beiden Jims erst als 39jährige Männer wieder begegnet.

Daß sich getrennt aufgewachsene eineiige Zwillinge derart gleichen, ist für viele Psychologen und Soziologen schockierend, denn es stellt sich die Frage nach der Willensfreiheit des Menschen. Für keine menschliche Gesellschaft, die danach strebt, sich zum Besseren, Gerechteren und Humaneren zu wandeln, kann es gleichgültig sein, ob Menschen in ihrem sozialen und politischen Verhalten unverrückbar festgelegt sind oder ob sie aus freiem Willen ihr eigenes Leben bestimmen.

Nach: *Die unglaublichen Zwillinge des Professors Bouchard*, Bild der Wissenschaft

der Zwilling, -e eines von zwei gleichzeitig im Mutterleib entwickelten Kindern

die Erbanlage, -n die Eigenschaften und Fähigkeiten, die jd. auf Grund der elterlichen Gene von Geburt an mitbekommt

die Befruchtung, -en Vereinigung der männl. Samenzelle mit der weibl. Eizelle

unabänderlich nicht zu ändern

die Zeugung durch Befruchtung ein Lebewesen entstehen lassen

hinterlassen *hier:* als Wirkung zurücklassen

der Sinnesreiz, -e Eindruck auf einen der Sinne wie Hören, Sehen, Fühlen

erwerben *hier:* sich aneignen, lernen

der Intelligenzquotient, -en Grad der Intelligenz in einem Zahlenwert: Intelligenzalter dividiert durch Lebensalter

das Milieu, -s Umgebung, in der ein Mensch lebt und von der er geprägt wird

kreativ eigene Ideen entwickelnd

treuherzig *hier:* ehrlich, offen

extravertiert nach außen gewandt, für äußere Einflüsse leicht empfänglich

die Spaltung, -en Teilung

übersehen *hier:* unbeachtet lassen

die Prägung, -en *hier:* Formung durch frühkindliche Einflüsse

veröffentlichen in gedruckter Form der Allgemeinheit zugänglich machen

zimmern aus Holz herstellen

adoptieren ein fremdes Kind als eigenes zu sich nehmen

schockierend sehr erschreckend

unverrückbar nicht mehr änderbar

verstehen

?

Antworten Sie mit Ihren eigenen Worten.

1. Wodurch werden die Erbanlagen des Menschen bestimmt?

2. Wodurch sind Erbanlagen auch äußerlich erkennbar?

3. Sind Erbanlagen der einzig bestimmende Faktor bei der Entwicklung des Menschen?

4. Wieso sind die Umwelteinflüsse so wichtig?

5. Wieso kann man den Anteil der beiden Faktoren Erbanlagen und Umwelteinflüsse bei der Entwicklung nicht ohne weiteres erkennen?

6. Welche Forschung kann uns bei dieser Untersuchung weiterhelfen? Warum?

7. Welche Bedingungen müssen bei einer erfolgreichen Zwillingsforschung gegeben sein?

8. Welche erstaunlichen Einzelheiten ergaben sich bei den Untersuchungen des Psychologen Professor Bouchard?

9. Welches seltene Ereignis war im Fall der beiden Jims für die Zwillingsforschung besonders wichtig?

10. Was ist an den Ergebnissen der Untersuchung der Jims so erschreckend?

11. Welche Überzeugung ist für die Entwicklung der menschlichen Gesellschaft so außerordentlich wichtig? Warum ist das so?

üben

I   *Was ist damit gemeint? Erklären Sie mit Ihren Worten.*

1. Die Umwelt hinterläßt in der Entwicklung eines Menschen frühzeitig ihre Spuren. (Z. 18)   2. das ständige Einwirken von Sinnesreizen (Z. 24)   3. angeborene und erworbene Fähigkeiten (Z. 27)   4. das geistig anregende Milieu des Elternhauses (Z. 33)   5. eine unprogrammgemäße Spaltung der Eizelle (Z. 45)   6. erstaunliche Parallelen im Verhalten und Schicksal (Z. 52)   7. Es ist nicht auszuschließen, daß sie ihre gleiche Prägung aus demselben Milieu bezogen. (Z. 58)   8. Es stellt sich die Frage nach der Willensfreiheit des Menschen. (Z. 99)

II   *Versuchen Sie, ein passendes Wort für die Lücke zu finden. Notfalls hilft Ihnen der Text.*

1. Welche Erbanlagen ein Mensch von seinen Eltern _____ , wird schon bei der Befruchtung der mütterlichen Eizelle unabänderlich _____ .

2. Die Umwelt hinterläßt in der Entwicklung eines Menschen frühzeitig ihre _____ .

3. Erst recht untrennbar sind die Einflüsse von Erbe und Umwelt im weiteren Leben miteinander _____ .

4. Die Frage, welchen Anteil angeborene und welchen _____ Fähigkeiten haben, ist bis heute noch _____ .

5. Hat einer nur deshalb einen hohen Intelligenzquotienten, weil er von intelligenten Eltern _____ ?

6. Eineiige Zwillinge besitzen stets dieselben _____ und sind die einzige Ausnahme von der _____ , daß jeder Mensch mit anderen Genen _____ ist.

7. Beide Jims beschäftigten sich gern mit Rechenaufgaben, beide _____ ihre Möbel selbst.

8. Beide _____ an den Fingernägeln, und beide _____ auch dasselbe Beruhigungsmittel.

9. Doch das Verrückteste an den Jim-Zwillingen war, daß sie im Säuglingsalter von verschiedenen Eltern _____ worden waren.

10. Es _____ sich die Frage nach der Willensfreiheit des Menschen.

III *Warum tun sie das? Was ist dazu nötig?*
Geben Sie Begründungen, und nennen Sie die Voraussetzungen. Beginnen Sie Ihre
Sätze mit „ Um ... zu + Inf. ".

Die Forscher haben sich immer wieder mit dem Leben eineiiger Zwillinge beschäftigt. Sie wollten einer Antwort auf wichtige Fragen der Menschheit näherkommen.

Um einer Antwort auf wichtige Fragen der Menschheit näherzukommen,
haben sich Forscher immer wieder mit dem Leben eineiiger Zwillinge beschäftigt.

---

1. Die werdende Mutter muß einige Ernährungsregeln beachten. Sie will ein gesundes
   Kind zur Welt bringen.
2. Man muß eineiige Brüder oder Schwestern sehr genau kennen. Man will wissen, wer
   wer ist.
3. Die Wissenschaftler betreiben Zwillingsforschung. Sie wollen feststellen, wie groß der
   Einfluß der Erbanlagen bei der Entwicklung des Menschen ist.
4. Es muß sich bei der Forschung um eineiige Zwillinge handeln, die möglichst getrennt
   aufgewachsen sind. Man will herausfinden, wie stark der Einfluß der Erbanlagen ist.
5. Der Psychologe Professor Bouchard mußte sich lange und eingehend mit dem Leben
   und den Gewohnheiten der beiden Jims beschäftigen. Er wollte einen wichtigen Beitrag zur Zwillingsforschung leisten.
6. Natürlich war Professor Bouchard bemüht, noch andere eineiige Zwillingspaare, die
   getrennt aufgewachsen waren, zu finden. Er wollte mehr Sicherheit in seinen Erkennt-
   nissen erreichen.
7. Schon 1876 hatte der britische Arzt und Gelehrte Sir Francis Galton Fragebögen an 80
   Zwillingspaare verschickt. Er wollte seine Erkenntnisse auf möglichst zahlreichen Untersuchungen aufbauen.
8. Derselbe Arzt hatte als erster die Fingerabdruck-Methode empfohlen. Er wollte Straf-
   täter besser identifizieren können.
9. Die Menschheit braucht den Glauben an die eigene Willens- und Entscheidungsfreiheit. Sie will nicht in eine Art Fatalismus verfallen.

der Fatalismus Glaube, daß alles vom Schicksal vorbestimmt ist und somit nicht zu ändern.

IV *Testen Sie die Phantasie der Mitglieder Ihrer Gruppe: A beginnt einen Satz mit „um*
... zu" und benennt B, der / die den Satz dann fortführt.

A: Um besser sehen zu können, ...

B: habe ich mir eine neue Brille gekauft.

diskutieren

1. Berichten Sie aus Ihrer Erfahrung oder aus Ihrer Lektüre über erstaunliche Überein-
   stimmungen bei Zwillingen, Geschwistern oder nahen Verwandten.
2. Ordnen Sie die Erzählungen unter folgende Gesichtspunkte:
   a) Was könnte man als Zufall ansehen?
   b) Was wäre auf gemeinsame Erlebnisse oder Eindrücke zurückzuführen?
   c) Was könnte man – im Sinne des Textes – als „angeboren" gelten lassen?
3. Lesen Sie noch einmal den letzten Abschnitt des Textes. – Formulieren Sie kurz die beiden gegensätzlichen Meinungen über das Schicksal eines Menschen:
   Die einen sagen ...
   Die anderen sagen ...
4. Warum sind gerade Psychologen und Soziologen schockiert über die Ergebnisse der
   Zwillingsforschung? Welche Konsequenzen ergäben sich daraus? Diskutieren Sie.

Lösungsschlüssel

1. Die Erde hat Fieber

verstehen

Richtig: Nr. 1, 4, 5, 6, 7, 9, 10, 11, 13, 15, 16

üben

I

1. Die anhaltende Trockenheit führt dazu, daß (a) die Rinder verhungern ... hat zur Folge, daß (b) die Schiffe auf dem Mississippi nicht mehr fahren können.
2. ..., daß Kohlendioxid in die Luft entweicht.
3. ..., daß die Erdatmosphäre sich zunehmend erwärmt.
4. ..., ... abgegeben wird.
5. a) ... ändern. b) ... schmelzen. c) ... überschwemmt werden. d) ... die kältere Jahreszeit kürzer, die wärmere länger wird.

II

1. Daß die Rinder verhungern, (a) liegt an der anhaltenden Trockenheit. b) ist die Folge der anhaltenden Trockenheit usw.

IV

1. Windstöße reißen den Ackerboden, der zu Staub verdorrt ist, mit sich.
2. ... vor einer Kuh, die zum Skelett abgemagert war.
3. ... die einzigen Pflanzen, die noch wuchsen, von ...
4. Auch die Schiffe, die ... im Flußbett des Mississippi lagen, warteten ...
5. ... eine Luftströmung, die von der ... Küste kommt, für die ...
6. ... ein Entweichen der Wärme, die von der Erdoberfläche zurückgestrahlt wird.

V

7. Eine sich stärker entwickelnde Wirtschaft wird auch mehr ...
8. Über die sich für die einzelnen Länder ergebenden Folgen ist man ...
9. Über die allgemeine, für die ganze Erde bedrohlich erscheinende Entwicklung sind ...
10. Die durch die zunehmende Wärme verursachte stärkere Verdunstung führt zu ...
11. Den Treibhauseffekt mildernde Gegenmaßnahmen sollen ...

2. Zur Entwicklung der Weltbevölkerung

verstehen

1 c, 2 a, 3 b, 4 a, 5. Es kommen auch andere Probleme auf, z.B. das der Ernährung.   6. Ab 1830 bis spätestens 1930.   7. Sie haben nichts Schlimmes getan, aber, indem sie die Heilmethoden und den Ansteckungsschutz verbesserten, haben sie ungewollt zur Bevölkerungsexplosion beigetragen.   8. Bis zum Jahr 1500 verläuft die Kurve fast geradlinig. Man schätzt die Erdbevölkerung damals auf etwa 500 Millionen. Aber schon um 1830 hat die Bevölkerung die Einmilliardengrenze erreicht. Im Jahr 1900 ist die Bevölkerung auf etwa 1,8 Milliarden angewachsen und 1985 schon auf 4,8 Milliarden. Im Jahr 2000 wird sie (nach damaligen Schätzungen) ca. 6,15 Milliarden Menschen betragen.

üben

I

1. Ja, die Firma H & H hat meinen Schwiegereltern ein Grundstück sehr günstig zum Kauf angeboten.   2. Ja, ich bin auf den Vorschlag meines Freundes eingegangen.   3. ... versteht etwas von Physik.   4. ... bleibt bei meinem Angebot.   5. ... ist bei seiner Aussage geblieben.   6. ... ist schon vorher zum Stehen gekommen.   7. ... wird mit den Verkehrsproblemen nicht fertig.   8. ... mußt mit einer ... rechnen.   9. ... rechneten mit einer schlechten Ernte.   10. Er hat es auf ... gebracht.   11. Er hat es zum Chefarzt ... gebracht.

III

1. Wir werden im Jahr 2000 wohl mit mehr als sechs Milliarden Menschen ... rechnen müssen.   2. ... wird sich wohl irgendwo zwischen ... einpendeln.   3. ... wird die Zahl der Erdbewohner wohl ... anwachsen.   4. ... – wird wohl jeder ... sein.   5. ... wird in verschiedenen ... wohl weiter zunehmen.   6. Man wird wohl viele ... schaffen müssen, ...   7. ... Erde wird die Menschheit wohl ... stellen.   8. ... wird wohl ein ... gewesen sein.   9. ... wird sich vorher den ... wohl nicht ausgerechnet haben.   10. ... wird es auf der Erde wohl weniger ... gegeben haben.

IV

1. Er scheint davon nichts verstanden zu haben.   2. Er scheint es nicht bezahlt zu haben. 3. Sie scheinen sich nicht einigen zu können.   4. Sie scheinen sie nicht bedacht zu haben. 5. Es scheint immer größer zu werden.   6. Sie scheinen nicht auszureichen.   7. Sie scheinen sie nicht so leicht erlernen zu können.   8. Es scheinen sich nicht alle ... wohl zu fühlen.   9. Sie scheinen nicht ... zurückkehren zu können.   10. Sie scheinen sie nicht alle erfolgreich bekämpfen zu können.

3. Umsteigen statt durchstarten

verstehen

1a, b, c; 2c; 3b; 4b, c; 5a; 6c; 7c; 8b

üben

I

1. Den Großstädtern setzt der Fluglärm zu. Dem gerade Operierten setzen die Schmerzen zu. 2. Der Arbeiter ist mit seiner Maschine vertraut. 3. Eine Beendigung der Kämpfe ist nicht abzusehen. 4. Der technische Fortschritt findet seine Grenzen dann, wenn er nicht mehr zu bezahlen ist. 5. Ich ziehe (den) Kaffee dem Tee vor. 6. Ich habe meinen Freund zum Mitkommen bewogen (!) 7. Der Gesetzgeber hat ein Gesetz beschlossen. 8. An der Luftverschmutzung sind zu einem großen Teil die Autos schuld. 9. Durch soziale Maßnahmen ist dem Strafentlassenen die Chance gegeben, ein neues Leben zu beginnen.

II

1. In Zürich versucht man, die Pendler dazu zu bewegen, daß sie auf Bahnen und Busse umsteigen. 2. Nachdem man ein „Umwelt-Abo" eingeführt hatte, stieg ... 3. Der Bürger wird mit ... belastet. 4. ..., sich weiter zu beschränken. 5. ..., daß man die Städte in ... aufgeteilt hat. 6. ..., daß man aufhört, die Landschaft zu zersiedeln. 7. ..., wenn sie einkaufen wollen.

III

1. ...„Umwelt-Abos" war ein Anstieg der Zahl der Fahrgäste in Freiburg zu verzeichnen. 2. ...will, ist (oder wird) zum Kauf einer Monatskarte der S-Bahn gezwungen. 3. Allerdings ist ein Ansteigen der monatlichen finanziellen Belastung um ... nicht vermeidbar. 4. Eine Lösung für das Problem des ... wäre damit noch nicht in Sicht. 5. ... die Chance zur (oder einer) räumlichen Zusammenführung von Wohnen und Arbeiten gegeben. 6. ... der Zersiedlung ... ein Ende zu bereiten. 7. ... zur Schaffung lebendiger Stadtteile.

4. Ist Mexiko-Stadt noch zu retten?

verstehen

1c; 2a; 3b; 4a; 5b; 6b; 7b

üben

I

1. An einem gewönlichen Werktag bietet Mexiko-Stadt dem Besucher das Bild ...
2. Die Wasserversorgung gilt als ein ...   3. Die Einwohner entfliehen, wenn ..., dieser Stadt mit ihrem ...   4. Draußen erfreuen sie sich noch an dem ... und der schönen Natur.
5. Das Wasser wird bald nicht mehr ausreichen, um ...   6. ... wurde eine Studie veröffentlicht, die ...   7. ... sagen voraus, daß Mexiko-Stadt im Jahr 2000 dreißig Millionen Einwohner haben wird. 8. Das schnelle Wachstum bringt die Planer an den ...   9. ..., daß man die ... nicht mehr sicherstellen kann.   10. Die Fachleute kommen zu dem Schluß, daß die Wasserversorgung infolge der ... Gebiete außerordentlich problematisch geworden ist.

II

1. Die hohen Vulkane kann man nur noch selten sehen. – ... sind nur noch selten zu sehen.
2. Nur ... kann man ... verhindern. – Nur ... kann die ... verhindert werden. – Nur ... ist die ... zu verhindern.   3. Ja, man muß leider Fälle ... befürchten. – Ja, Fälle ... müssen leider befürchtet werden. – Ja, ... sind leider zu befürchten.   4. Ja, man muß sie vorsichtshalber einschränken. – Ja, sie müssen ... eingeschränkt werden. – Ja, sie sind ... einzuschränken.
5. Ja, besonders ... muß man Erkrankungen ... befürchten. – ... müssen Erkrankungen ... befürchtet werden. – ... sind Erkrankungen ... zu befürchten.   6. Nein, man kann sie offenbar nicht verhindern. – Nein, sie kann ... nicht verhindert werden. Nein, sie ist ... nicht zu verhindern. –   7. Natürlich muß man den ... unbedingt schützen. – ... muß der ... geschützt werden. – ... ist der ... zu schützen.   8. Ja, sie können ... abgebaut werden.   9. Nein, aller Voraussicht nach kann man die ... nicht sicherstellen. – ... kann sie ... nicht sichergestellt werden.   10. Doch, man muß der ... unbedingt mehr Beachtung schenken. – Doch, der ... muß unbedingt mehr ... geschenkt werden. – ... ist unbedingt mehr ... zu schenken.

5. Umweltprobleme – auch in der Tierwelt

verstehen

1a, b;   2b, c;   3a;   4a, b;   5a, b, c;   6b, c

üben

I

1. einziger / einzelner, einzelnen   2. einzelnen, eigenes   3. einzelne, einigen   4. eigenes
5. einige   6. einziger   7. einige   8. Einige   9. einzige   10. einzige   11. einzelne, eigenen

II

1. Ist der ... angewachsen, beginnt er, sich ...   2. Breitet sich die ... aus, ...   3. Wächst die Sozietät ... 12 cm hinaus, muß ...   4. Wenn der Brotkrustenschwamm ... nicht erhöhen würde, würden ...   5. Wenn die ... 3 cm werden, können ...   6. Ist das Wasser ... bewegt, sinken ...   7. Wenn die Röhren umgebogen werden oder umsinken, ...   8. Wenn die ... nebeneinandergelegt werden, ...   9. Wenn der Schwamm ... hinauswächst, wird er ...

6. Energie aus Müllhalden

verstehen

1a, c;   2a, b, c;   3a, b, c;   4c;   5c;   6-;   7a, b

üben

I

a) der Krebs; erregen   b) die Umwelt; freundlich   c) das Jahr; lang   d) der Geruch; belästigen   e) der Schaden, der Stoff; vernichten   f) die Verpackung; bewußt   g) der Schrott; reif   h) der Abfall; vermeiden   i) das Papier; ähnlich

II

1. schrottreife   2. abfallvermeidende   3. geruchsbelästigende   4. papierähnliches
5. verpackungsbewußte   6. krebserregende   7. jahrelang   8. schadstoffvernichtende
9. umweltfreundliche

III

1. Achten Sie darauf, ... ! Sie sollten darauf achten, ... !   2. Wählen Sie ... ! Sie sollten die ... Ware wählen! usw.   8. Lassen Sie ... irgendwo stehen! Sie sollten ... stehenlassen!
10. Machen Sie bei ... mit! Sie sollten bei ... mitmachen!

7. Mauretaniens Kampf gegen die Wüste

üben

II

a) im Mittelpunkt b) Sie fing im Jahr 1968 an c) immer angewiesen auf die wenigen ...
d) Den Wassermangel und die Landflucht zu bekämpfen e) mit der Zustimmung f) erbaut
g) gewaltige / starke h) überschwemmen i) wertvolle j) genügend k) geflohen l) freien

III

1. aus 2. um 3. zu 4. von 5. für 6. nach 7. auf 8. von 9. von / auf 10. zu

IV

1. Schon immer mußten die Nomaden sich den neuen Bedingungen anpassen, wenn das Klima sich veränderte. 2. Seitdem die Weidegebiete ... versandeten, verließen ... 3. Nachdem sie ihre letzten Herdentiere verkauft hatten, zogen ... 4. Nur wenn genügend Wasser in den Brunnen ist, ... 5. Nachdem die Landflucht immer stärker geworden war, ... 6. Seitdem man mit dem Projekt im Jahr 1983 begonnen hat, ... 7. Erst nachdem die einheimische Bevölkerung zugestimmt hatte, wurden ... 8. Als die schützenden Mauern gebaut wurden, ... 9. Bevor die Steinwälle errichet wurden, ... 10. Wenn das Wasser rasch abläuft, ... 11. Nachdem sich die Lebensumstände verbessert hatten, ... 12. Als sie in ihre Heimat zurückkehrten, ...

8. Neem – ein neuer „Wunderbaum"?

üben

II

ursprünglich, luftig, wenig, unendlich, wichtig, technisch, schließlich, völlig, chemisch, unbedenklich, antiseptisch, ungünstig, wissenschaftlich, praktisch

III

1. Ist die Sahara ein trockenes Gebiet? ... Ist es das trockenste Gebiet der Erde? ... aber es ist sicher eines der trockensten Gebiete der Erde. 2. ...? ... Ist es die trockenste Zone Afrikas? ... eine der trockensten Zonen Afrikas. 3. ... das interessanteste Objekt der Entwicklungshilfe? ... eines der interessantesten Objekte der ... 4. ... das wirkungsvollste ... eines der wirkungsvollsten Schädlingsbekämpfungsmittel. 5. Sind ... die Ausgangsstoffe für das vielseitigste Heilmittel der Natur? ... sie sind die Ausgangsstoffe für eines der vielseitigsten Heilmittel ... 6. ... das beliebteste ... eines der beliebtesten ... 7. der gefährlichste ... einer der gefährlichsten ...

IV

1. In der Sahara, einer der größten Wüste der Erde, leben nur wenige Tiere. 2. Im Sahel, einem der ärmsten Gebiete der Erde, ... 3. Mit dem Neem, einem der genügsamsten Bäume, ... 4. ..., einem der unbedenklichsten Wirkstoffe, 5. ..., einem der merkwürdigsten Bäume der Erde, ... 6. ..., einem der beliebtesten Körperpflegemittel, 7. ..., einen der gefährlichsten Schädlinge, ...

9. Wasserschildkröten oder Tourismus?

üben

II

1. auf 2. vom 3. für 4. In, am 5. bis 6. aus 7. an, von 8. Zur, zu 9. am 10. Im , unter 11. auf 12. an

III

1. Ja, die Tiere werden unter Umständen einfach umgebracht. 2. ... gerettet werden. 3. ... gesperrt werden. 4. ... wird von ... besucht. 5. ... sind schon ... gesichtet worden. 6. ... wird von einer ... vorgeschrieben. 7. ..., es wird ... zugeschaufelt. 8. ... wird der Rückweg ... angetreten. 9. ... werden ... benötigt. 10. ... werden vom warmen Sand ausgebrütet. 11. ... werden die Tiere von lauter Musik erschreckt. 12. ... werden die Tiere von den Lichtern am Strand irritiert. 13. ... ist der größte ... gesperrt worden. 14. ... sie ist nicht beachtet worden. 15. ... es erst 1979 gebaut (worden) und ... abbezahlt worden.

11. Die Grameen-Bank in Bangladesh

üben

I

1. Betrag 2. verschlechtert 3. Armutsgrenze 4. für 5. erschütterte 6. sah – um 7. verweigert 8. gebracht 9. gedroschen 10. Flechten 11. Lage 12. Sicherheiten 13. griff 14. erzielte 15. Hütte 16. selbständig 17. Eigentümer 18. gründete 19. Skeptiker 20. aufgenommen

II

1. P.Y. konnte ... keine Erklärung für die Armut finden. 2. Er wollte sich ... umsehen. 3. Die ... können ihre ... nicht voll nutzen. 4. Sie müssen ... arbeiten. 5. ... können kein ... erwerben. 6. Weil ..., müssen sie für ... arbeiten. 7. ... können kein Kapital bilden. 8. ... wollten den Armen keine ... auszahlen. 9. ... können viele ... erwerben. 10. ... wollten nicht glauben, ...

III

1. ... hat keine Erklärung für die Armut finden können.   2. ... hat sich umsehen wollen.
3. ... haben ... nicht voll nutzen können.   4. ... haben arbeiten müssen.   5. ... haben ... erwerben können.   6. ... haben sie ... arbeiten müssen.   7. ... haben ... bilden können.   8. ...
haben ... auszahlen wollen.   9. ...haben ... erwerben können.   10. ... haben nicht glauben
wollen, ...

12. Gedanken eines Entwicklungshelfers

üben

I

1. Überentwicklung   2. Unterentwicklung   3. Unterernährung   4. Überernährung
5. Überdruck   6. Unterdruck   7. Unterforderung   8. Überforderung   9. Unterge-
wicht   10. Übergewicht

II / III

1. ratlos, der Ratlose, ein Ratloser, die Ratlosen   2. arbeitslos, der Arbeitslose, ein -er, die
-en   3. zweifellos   4. phantasielos, der Phantasielose, ein -er, die -en   5. zwanglos
6. mühelos   7. fleischlos   8. geräuschlos   9. gefühllos, der Gefühllose, ein -er, die -en
10. teilnahmslos, der Teilnahmslose, ein -er, die -en   11. maßlos, der Maßlose, ein -er, die
-en

IV

1. -er 2. -e 3. -en 4. -en 5. -e 6. -en 7. -er 8. -en 9. -e 10. -en

V

1. kommen   2. gemacht   3. gelöst   4. daüber, dazu   5. mit   6. verordnet, entsprechen
7.davor, auf   8. an   9. auf

VI

1. ... nach, ob die Vorstellungen des „entwickelten" Europäers nicht dazu führen, die ...
2. ..., ob Armut nicht ein ... ist.   3. ..., ob der Bedürfnislose mit ... nicht glücklicher ist als
... 4. ..., ob sich derjenige, der ... ist, vielleicht ... fühlt.   5. ..., ob es einen ... dafür gibt, daß
... 6. ..., ob es sinnvoll ist, den ... .   7. ..., ob man von Menschen, deren ... kennt, ein ... verlangen kann.   8. ..., ob Projekte ... werden können, wenn ...   9. ..., ob wir nicht ... lernen
können, ... 10. ..., ob wir ... gegenüberstehen.

13. Wer soll bestimmen, was produziert wird?

verstehen

II
Richtig: Nr. 1, 2, 3, 5, 7

üben

I

1 a) Verwendung b) * c) Verschwörung   2 a) Wertung b) Wendung c) *   3 a) Erwerb b)*
c) Wetterbericht   4 a) Ansatz b) Ersatz c) *   5 a) * b) zerlassen c) verlassen   6 a) * b) Lö-
sungsmittel c) Düngemittel   7 a) Wirtin b) Wirtschaftlerin c) *   8 a) * b) Hürde c) Behinderte

II

1. Sie tut jedenfalls so, als ob ihr das ... bekannt wäre / als wäre ihr das ... bekannt.   2. ...,
als wenn sie die ... saubergemacht hätte / als hätte sie ... saubergemacht.   3. ..., als ob sie kochen könnte / als könnte sie kochen.   4. ..., als wenn sie schon fertig wäre / als wäre sie ...
5. ..., als ob ihnen das Essen geschmeckt hätte / als hätte ... geschmeckt.   6. ..., als wenn sie
satt geworden wären / als wären sie ... geworden.   7. (..., als ob sie ... hätten gehen wollen)
/ ..., als hätten sie ... gehen wollen.   8. ..., als wenn sie ... gewesen wären / als wären sie ...
gewesen. 9. ..., als ob er ... verstehen könnte / als könnte er ... verstehen.   10. ..., als wenn
er das ... wüßte / als wüßte er ...   11. ..., als ob er ... gewesen wäre / als wäre er ... gewesen.

14. Da läuft etwas falsch

üben

I

1. Zeit sparen/o.ä.   2. reicht die Zeit ... (aus)   3. Zeit zu verschwenden/o.ä.   4. braucht ...
Zeit   5. hat ... Zeit   6. kostet ... Zeit   7. nahm sich ... (die) Zeit   8. Zeit zu verlieren/
o.ä.   9. hat ... Zeit   10. Zeit kosten   11. Zeit zu gewinnen/o.ä.   12. brauchen ... Zeit
13. sie reicht ... (aus)   14. Zeit haben

II

1. Ein Ingenieur, der ..., die ..., kaufte sich einen Videorecorder.   2. Um das neue Gerät,
das ..., die ..., richtig zu nutzen, abonnierte er eine dicke Programmzeitschrift, die ..., die ...
3. Dann stellte er den Videorecorder, den ... nannte und von dem er ... erwartete, sorgfältig
auf ...   4. ... bei einem Radiohändler, bei dem ..., die er ... brauchte.   5. ... seine Fernsehfilme, die ... aufgenommen und für die er soviel Geld ausgegeben hatte, noch nie gesehen,
denn ... die Sendungen, die er nicht gespeichert hatte, aber von denen ..., weil er glaubte,
daß ... Filme, die ... lagen, später einmal Zeit haben würde.   6. So kommt es, daß ... wartet,
die ihm ... bringen sollen und die er wahrscheinlich nie erleben wird.

15. Rauchen ist besser als Heucheln

üben

II

1. -an   2. unter, -hinter   3. von   4. für   5. -gegen   6. -von, in, nach   7. zu, in   8. zum

III

1. Selbst wenn der Autor wüßte, daß er ... nicht rauchen darf, nähme er (würde er ... nehmen) kein anderes Verkehrsmittel.   2. Selbst wenn die Zuschauer nicht klatschten (klatschen würden), sobald die Stewardeß den Nichtraucherflug bekanntgibt, begänne der Autor (würde er beginnen), sich ...   3. Selbst wenn man das Rauchen heutzutage nicht als Sünde ansehen würde, fühlten sich (würden sich ... fühlen) die Nichtraucher den Rauchern überlegen.   4. Selbst wenn man ... unter die Lupe nähme (nehmen würde), würde – nach Ansicht des Autors – ihre Heuchelei nicht deutlich (werden).   5. Selbst wenn der Autor sich ... nicht belästigt fühlte (fühlen würde), wird ihm in der Enge ...   6. Selbst wenn es auf ... gäbe (geben würde), könnte er sich nicht beschweren.   7. Selbst wenn man beweisen könnte, daß ..., ließe sich der Autor nicht überzeugen.   8. Selbst wenn die logische Folgerung des Autors stimmen würde (stimmte), müßten Grippe- und ... zurückgewiesen werden.   9. Selbst wenn der Autor einsehen wollte, daß ..., reagierten (würden ... reagieren) viele Menschen so aggressiv.

16. Chronik des Schmerzes

verstehen

1a;   2c;   3a, b;   4c;   5-;   6b, c;   7b;   8a, b, c

üben

II

1. schlecht, schwach   2. jdn. strapazieren   3. gelegentlich   4. normal   5. die Rücksichtslosigkeit   6. vergehen   7. rasch, schnell

III

1. a) etw., was neu entwickelt ist, z.B. eine Maschine b) etw., was schon da ist, aber nun gefunden wird, z.B. ein Stern, eine Tierart, eine Landschaft   2. a) eine Frau, die Psychologie (die Lehre vom seelischen Zustand oder Verhalten der Menschen) studiert hat und Menschen, Firmen oder Ämter berät b) Ärztin, die seelische (aber auch körperliche) Erkrankungen durch systematische Beeinflussung (z.B. Verhaltenstherapie, Psychoanalyse u.ä.) behandelt   3. a) dauernd, ständig, anhaltend b) nach dem zeitlichen Ablauf geordnet   4. a) Art und Weise, wie etwas abgewickelt wird b) *hier:* Methode, mit der man versucht, jdn.

zu heilen c) jdm. einen Rat geben, *hier:* jdm. einen Weg zur Heilung aufzeigen 5. a) see-lisch b) körperlich 6. a) Verhalten, das die Gefühle und Interessen anderer bedenkt und achtet b) Aufmerksamkeit, Besonnenheit bei Gefahr oder kritischen Situationen

IV

1. Es ist typisch für ..., daß sie sich ständig selbst überfordern. 2. Es fällt den ..., einen ... aufzusuchen. 3. Es ist bekannt, daß es ... gibt. 4. Es ist verständlich, daß ... 5. Es ist ein ..., die eigene ... 6. Es ist bekannt, daß ... 7. Es entspricht den ..., daß ... begreift, daß seine ... 8. Es ist wenig bekannt, daß ... möglich ist.

V

1. dessen unerträgliche 2. dessen 3. dessen unablässige 4. dessen psychische 5. deren geringer 6. deren gutgemeinten 7. deren erklärte 8. deren einfühlsamer

17. Kinder brauchen Fernsehen

üben

I

1. war ... mutig 2. den Mut haben 3. wird ... ermutigt 4. werden ... ermutigt 5. entmutigt (mutlos) ... werden 6. entmutigen 7. ermutigt 8. macht ... Mut

II

1. Die Erwachsenen beherrschen zu sehr die Welt der Kinder. 2. Man darf auch Filme zeigen, in denen (von den Menschen) Gewalt ausgeübt wird. 3. Kinder werden von solchen Filmen stark beeindruckt. 4. ... reagieren in ... ab. 5. Bettelheim lehnt ... ab. 6. B. sollte man Kindern besser nicht zeigen. 7. Man könnte mit ... schaffen, ... 8. ... alles könnte leicht ... erlernt werden. 9. Der Autor fordert die Eltern auf, ... 10. Kinder und Eltern sollten manche ... ansehen. 11. Anschließend sollte darüber gesprochen werden.

19. Die Folgen einer Scheidung für Kinder

üben

I

1. sich scheiden lassen 2. geschieden worden 3. verschieden 5. wir sind als Freunde geschieden 5. geschieden 6. scheiden lassen 7. geschieden 8. aus dem Amt geschieden 9. scheiden lassen ... geschiedene 10. in Scheidung

II

1. Leider, sie sollten das fatale Versteckspiel beenden.   2. ..., sie sollten auf jeden Fall die Sicherheit haben, daß ...   3. Sie sollten auf jeden Fall die Möglichkeit haben, ihre ...   4. ... sollten sie die Gewißheit haben, daß ...   5. Sie sollten auf keinen Fall die Leidtragenden in ... sein. 6. Den Eltern sollte es bei einer Scheidung in ... gehen; leider ...   7. ..., im Prinzip sollte den Kindern, die ..., von Sozialpädagogen geholfen werden.   8. Natürlich sollten die Kinder vom Scheidungsrichter dem Elternteil zugesprochen werden, das ..., aber ... 9. ..., aber man sollte von dieser Regel abkommen.

20. Wenn das Kind die Neugier verliert

verstehen
Richtig: 1,   3,   5,   6,   8,   9

üben

I

1. a) Wichtige Entwicklungen eines Kindes hängen möglicherweise von allerersten Umwelterfahrungen ab. b) ... oder nicht, hängt davon ab, wie die ... c) ..., hängt davon ab, wie es ...   2. a) ... kommt, beschäftigt es sich damit, seine Umwelt zu erforschen. b) ... Kind kann sich nicht mit ... beschäftigen. c) Peter beschäftigt sich damit, aus ... zu bauen.   3. a) Die Eltern fühlen sich dazu aufgerufen, erzieherische Maßnahmen anzuwenden. b) ... fühlen sich (dazu) aufgerufen, das Kind ... abzuhalten. c) ... fühlen sich dazu aufgerufen, die Eltern ... zu warnen.

II

1. Weichen 2. Verlauf 3. verstößt 4. Grundstein 5. profilieren 6. Kummer 7. Sicht   8. Hilfe

III

1. zerbrechen, zerbeißen 2. zertreten 3. zerschlagen/zertrümmern 4. zerstampfen/ zerdrücken 5. zersägen 6. zerschneiden

IV

steuerfrei, keimfrei, atomwaffenfrei, fehlerfrei, fieberfrei, schuldenfrei, bleifrei, schwindelfrei, zollfrei, alkoholfrei, staubfrei
liebevoll, leidvoll, würdevoll, mühevoll, phantasievoll, qualvoll, humorvoll, mitleidsvoll, kraftvoll, wertvoll

V

1. Im Krabbelalter fangen die Kinder an, Tischdecken herunterzuziehen und Spielsachen zu verschmieren.   2. Die Eltern fühlen sich aufgerufen, im ... zu wirken.   3. Sie halten es für richtig, das ... zu sperren.   4. Sie halten es für notwendig, das Kind zu Sauberkeit und Ordnung zu ermahnen.   5. Sie sind auf dem besten Wege, dem Kind ... auszutreiben. 6. Das Kind beginnt, die ... zu verlieren.   7. Das Kind soll in der Lage sein, sich ... zuzuwenden.   8. Es soll fähig sein, sich von ... zu machen.   9. Künstlerisch und ... begabten Kindern gelingt es, sich schon ... zu profilieren.   10. ... Kinder beginnen, mal ... auszuprobieren.   11. Sie neigen dazu, ein ... zu vergessen.   12. Kinder haben den Hang, eine ... wiederaufzunehmen.

21. Neues aus der Zwillingsforschung

üben

II

1. mitbekommt, festgelegt   2. Spuren   3. verbunden   4. erworbene, ungeklärt   5. abstammt   6. Erbanlagen, Regel, ausgestattet   7. zimmerten   8. kauten, schluckten 9. adoptiert   10. stellt

III

1. Um ein gesundes Kind zur Welt zu bringen, muß die werdende Mutter einige Ernährungsregeln beachten.   2. Um zu wissen, wer wer ist, muß ...   3. Um festzustellen (Um feststellen zu können), wie groß ... ist, betreiben die ...   4. Um herauszufinden (Um herausfinden zu können), wie ... ist, muß es sich ... handeln.   5. Um einen ... zu leisten, mußte sich der Psychologe ... beschäftigen.   6. Um mehr ... zu erreichen, war Professor B. natürlich bemüht, ... zu finden.   7. Um seine ... aufzubauen (aufbauen zu können), hatte der britische ... Fragebögen an ... verschickt.   8. Um ... identifizieren zu können, hatte derselbe ... empfohlen.   9. Um nicht in eine Art Fatalismus zu verfallen, braucht die Menschheit den Glauben an die eigene Willens- und Entscheidungsfreiheit.

Quellenverzeichnis

Texte

1.   Die Erde hat Fieber. Nach: Benz, Jürgen, DIE ZEIT 29, 15.7.88
2.   Zur Entwicklung der Weltbevölkerung. Nach: Schneider, Wolf (1960): Überall ist Babylon. ECON Verlag, Düsseldorf
3.   Umsteigen statt durchstarten. Nach: Lehnert, Petra: Umsteigen statt durchstarten. Deutsches Allgemeines Sonntagsblatt 24, 16.6.89
4.   Ist Mexiko-Stadt noch zu retten? Nach: Stausberg, Hildegard: An einem Tag ohne Auto zur Arbeit: Umweltverschmutzung in Mexiko-Stadt. Frankfurter Allgemeine Zeitung 262, 10.11.89
   Probleme der Großstadt. Aus: „Meyers Taschenlexikon in 24 Bänden", mit freundlicher Genehmigung des Bibliographischen Instituts Mannheim, Wien, Zürich, 1983
5.   Umweltprobleme – auch in der Tierwelt. Nach: Schäfer, Wilhelm (1971): Der kritische Raum: Über den Bevölkerungsdruck bei Tier und Mensch. Verlag Waldemar Kramer, Frankfurt/M.
6.   Energie aus Müllhalden. Nach: von Aster, Ernst-Ludwig: Gereinigt. Deutsches Allgemeines Sonntagsblatt 24, 16.6.89
7.   Mauretaniens Kampf gegen die Wüste. Nach: Freiling, Frank-Dieter: Vor mehr als zwanzig Jahren begann die Dürre, noch heute hält sie an: Mauretaniens Kampf gegen die Wüste. Frankfurter Allgemeine Zeitung, 1.7.89
8.   Neem – ein neuer „Wunderbaum"? Deutsche Welthungerhilfe (Hg.) (4/88): Materialien zur Welternährungslage: Umwelt und Entwicklung.
9.   Wasserschildkröten oder Tourismus? Nach: Weig, Anke: Die Schildkrötenbucht für Badende sperren? Konflikt zwischen Tourismus und Naturschutz auf der griechischen Insel Zakynthos. Frankfurter Allgemeine Zeitung 137, 18.6.86
10. Wie Tierliebe zur Todesfalle werden kann. Nach: Blumenthal, Michael: Mensch denkt – Natur lenkt: Wie Tierliebe zur Todesfalle werden kann. DIE ZEIT 33, 11.8.89
11. Die Grameen-Bank in Bangladesh. Nach: Haubold, Erhard: Ein Rikschafahrer sitzt im Aufsichtsrat: Wie eine Bank in Bangladesh mit Krediten menschliche Würde schafft. Frankfurter Allgemeine Zeitung 235, 10.10.85
12. Gedanken eines Entwicklungshelfers. Nach: Wollers, Matthias: Gedanken eines Erfahrungs-Helfers zur wirksamen Entwicklungshilfe. DED-Brief, 3.4.89
13. Wer soll bestimmen, was prodziert wird? Nach: Bucerius, Gerd: Wer soll bestimmen, was die Industrie produziert? DIE ZEIT 29, 10.7.81
14. Da läuft etwas falsch! Nach: Grubbe, Peter: Da läuft etwas falsch: Die Industrie entwickelt ständig Geräte, die Zeit sparen, Arbeitstage werden kürzer, doch die Hetze nimmt zu. Deutsches Allgemeines Sonntagsblatt 23, 9.6.89
15. Rauchen ist besser als Heucheln. Nach: Scott Davis, David: Rauchen ist besser als Heucheln: Eine Philippika gegen die Antiraucherbewegung. DIE ZEIT 31, 28.7.89
16. Chronik des Schmerzes. Nach: Kerner Charlotte: Chronik des Schmerzes. DIE ZEIT 3, 13.1.89
17. Kinder brauchen Fernsehen. Nach: Jänz, Franziska: Kinder brauchen Fernsehen. DIE ZEIT 3, 13.1.89
18. Wie sich die Leichen gleichen. Nach: Hauke, Ursula (1985). Aus: PAPA, CHARLY HAT GESAGT ... Band 6, rororo 5545, Rowohlt Taschenbuch Verlag GmbH, Reinbeck
19. Die Folgen einer Scheidung für Kinder. Nach: Barbara, Rüther: Hin und her gerissen. Deutsches Allgemeines Sonntagsblatt 5, 2.2.90
20. Wenn das Kind die Neugier verliert. Nach: Krapp, Andreas/Schiefele, Hans: Haben Sie Interesse! Mit freundlicher Genehmigung von PSYCHOLOGIE HEUTE, 12/89
21. Neues aus der Zwillingsforschung. Nach: Karcher, Helmut L.: Die unglaublichen Zwillinge des Professors Bouchard. Nach: Bild der Wissenschaft 10/89

Abbildungen

S. 12f. Leben und Klima im 2. Jahrtausend. Buergle, Klaus. Bild der Wissenschaft, 11/88

S. 16 Die CO_2-Sünder. Globus 9247

S. 18 Karikatur zum Weltuntergang. Jupp Wolter. Informationen zur politischen Bildung 220, 3/88

S. 26 Die Erde wird zu eng. Globus 8318

S. 38 Smog-Wetterlage. Informationen zur politischen Bildung 219, 2/88, Hrsg.: Bundeszentrale für politische Bildung, Bonn

S. 39 Aus: Schäfer, Wilhelm (1971): Der kritische Raum: Über den Bevölkerungsdruck bei Tier und Mensch. Verlag Waldemar Kramer, Frankfurt/M.

S. 44 Der Verpackungs-Aufwand. Globus 8135

S. 49 Zusammensetzung und Sortierungsmöglichkeiten des Hausmülls. Preussen Elektra, Hannover

S. 59ff. Schema zur Erosion. Herbert Horn, München

S. 80 Über Theorie und Praxis. Klaus Pitter (1988). Aus: Magie im Alltag. Verlag Bücher & Nachrichten, Frankfurt/M.

S. 96 Marlene Dietrich. Süddeutscher Verlag, Bilderdienst, München

S. 108 Mann mit Fernseher. Stamber. Cartoon-Caricature-Contor Arno Koch, München

S. 110 Beim Scheidungsanwalt. Langdon, David (1972). Prestwood, England